Rhinocéros

Pièce en trois actes et quatre tableaux

(1959)

Eugène Ionesco

Alain Satgé
Ancien élève de l'École normale supérieure,
Agrégé de lettres classiques

© HATIER, Paris, août 2003 ISSN 0750-2516 ISBN 978-2-218-**74119-7**

Sommaire

Les indications de pages renvoient à l'édition Gallimard de* Rhinocéros, *paru dans la collection « Folio ».

Maquette : Tout pour plaire

Mise en pages : Nadine Aymard

FICHE PROFIL

Rhinocéros (1959)

Pièce en trois actes et quatre tableaux

Eugène Ionesco (1909-1994)

Théâtre — XXe siècle

RÉSUMÉ

Dans une banale petite ville de province, un dimanche matin, l'irruption d'un rhinocéros fait scandale. L'animal est bientôt suivi d'un deuxième. Malgré les sceptiques, il faut bien se rendre à l'évidence: les rhinocéros se multiplient, et envahissent peu à peu la ville. Mais on découvre qu'il ne s'agit pas d'une invasion: ce sont les hommes qui, les uns après les autres, se métamorphosent en animaux. Jusqu'à ce qu'il ne reste plus qu'un seul être humain...

PERSONNAGES PRINCIPAUX

- **Bérenger**, employé de bureau.
- **Jean**, son ami.
- **Botard**, un collègue de bureau, ancien instituteur.
- **Dudard**, autre collègue de bureau, licencié en droit.
- **Daisy**, dactylo, collègue puis « fiancée » de Bérenger.

CLÉS POUR LA LECTURE

1. Une allégorie

L'intrusion de l'insolite dans un monde familier, la prolifération, la métamorphose, le monstre: autant de thèmes qui appartiennent aux registres du fantastique et du merveilleux, mais que Ionesco met au service d'une parabole philosophique et politique. La « rhinocérisation » générale doit se lire comme une allégorie: elle symbolise l'irrésistible ascension des dictatures du XXe siècle.

2. Une critique du langage

Ionesco ne dénonce pas seulement le fanatisme politique, mais toutes les formes de conformisme, intellectuel, philosophique, moral, qui se trahissent par le langage : il parodie les « langues de bois », les clichés, les stéréotypes et les slogans. Mais le langage, le plus souvent absurde ou dangereux dans l'œuvre de Ionesco, est ici pour la première fois mis en danger.

3. Une farce tragique

Située au carrefour des deux « manières » du théâtre de Ionesco, la poésie pure de l'absurde et les obsessions tragiques et métaphysiques, la pièce mélange systématiquement les genres et les registres : la farce, le burlesque, la satire laissent peu à peu la place à la force tragique du destin.

4. Le triomphe de la théâtralité

Le langage de *Rhinocéros* n'est pas seulement celui des mots, mais celui des signes : l'espace, les corps, les objets, les sons et les éclairages. Les effets scénographiques, chorégraphiques, polyphoniques, la violence du jeu physique, la prolifération des objets font de la pièce un grand spectacle.

PREMIÈRE PARTIE

Résumé et repères pour la lecture

La pièce est divisée en trois actes et quatre tableaux. Le deuxième acte comporte deux tableaux, qui correspondent à deux lieux différents. Il n'y a pas de découpage en scènes. Nous distinguerons donc, à l'intérieur de chaque acte, des séquences, déterminées le plus souvent par les entrées et sorties des personnages.

ACTE PREMIER

SÉQUENCE 1 (PAGES 13 À 33)[1]

RÉSUMÉ

Une paisible place provinciale, un dimanche d'été, avec son épicerie et son café. Le carillon sonne : c'est l'heure de la messe et du marché. À la terrasse du café s'attablent deux amis, Bérenger et Jean ; l'un est débraillé, décoiffé, mal réveillé, l'autre impeccable. Jean sermonne Bérenger : il lui reproche son laisser-aller, son goût pour la boisson (il semble avoir abusé de l'alcool la veille au soir) et son manque de volonté.

Leur conversation est peu à peu couverte par un tumulte grandissant : bruit de sabots, halètements, barrissements... Jean, puis l'épicière, la serveuse du café et l'épicier croient apercevoir un rhinocéros. La place est envahie par la poussière et par des passants affolés : un Logicien, une Ménagère (qui laisse tomber ses provisions, mais qui ne lâche pas son chat), un Vieux Monsieur... Seul Bérenger reste à l'écart de l'agitation générale, passif et comme indifférent à la situation.

Le bruit décroît, la poussière retombe. Des relations se nouent entre les personnages à peine remis de leurs émotions, puis

1. De « Décor. *Une place* » (p. 13) à « *Le Logicien et le Vieux Monsieur sortent* » (p. 33).

chacun revient à ses préoccupations quotidiennes : la Ménagère à son foyer, l'Épicier et le Patron du café à leur commerce, Bérenger au pastis qu'il a commandé en cachette de Jean. La place se vide.

REPÈRES POUR LA LECTURE

Deux personnages contrastés

Tout oppose Jean et Bérenger : leurs vêtements (le costume, la cravate, le chapeau de l'un soulignent le laisser-aller de l'autre), leurs comportements (Bérenger se conduit comme un enfant pris en faute par un adulte), mais surtout leur conception de l'existence. Jean s'appuie sur un système de valeurs rigide (la loi, le travail, la volonté, le sens du devoir), aux antipodes du mode de vie de Bérenger.

Mais ce système l'empêche de déceler, derrière les « défauts » de son ami, l'angoisse, la difficulté d'être ; et ce raisonneur se met d'emblée en contradiction avec certains de ses principes. Plusieurs détails révélateurs font apparaître sa mauvaise foi (il reproche à Bérenger son retard alors qu'il est arrivé en même temps que lui), et sa philosophie présente des aspects inquiétants : il glisse insensiblement de la critique de la marginalité à l'éloge de la normalité, puis de l'« homme supérieur ». Peut-être le personnage est-il plus ambigu qu'il n'y paraît.

Le coup de théâtre

Une autre opposition forte marque cette première séquence : celle du quotidien et de l'insolite, voire de l'extraordinaire. La longue didascalie initiale et les premiers échanges mettent l'accent sur la banalité du lieu et la normalité de la situation, ce qui renforce l'effet du coup de théâtre : l'irruption brutale d'une autre réalité. Le « fauve » est invisible pour les personnages comme pour le public (on l'imagine à partir d'effets sonores et visuels), de sorte qu'on peut se demander s'il ne s'agit pas d'une hallucination collective.

Un drame collectif

La place, lieu de rencontres et d'échanges, évoque l'espace traditionnel de la comédie classique. C'est aussi le lieu où, comme sur l'agora grecque, les citoyens convergent et se retrouvent dans une situation de crise, ce qui nous rapproche cette fois de l'univers tragique.

Dans cet espace public, toutes les couches de la société (petits commerçants, ménagère, intellectuel, fonctionnaires) et tous les modes de communication sont représentées : conversations individuelles et réactions collectives, débats et disputes, rapports de séduction et d'intérêt. Devant l'irruption de l'imprévu, peut-être du danger, le jeu des solidarités et des égoïsmes se met en place.

Cette première séquence ne remplit pas toutes les fonctions classiques de la scène d'exposition : elle ne rappelle ni les événements antérieurs au commencement de la pièce ni le passé des personnages ; mais elle annonce les mécanismes dramaturgiques et scénographiques de la pièce tout en exposant les enjeux.

SÉQUENCE 2 (PAGES 33 À 60)[1]

RÉSUMÉ

Restés seuls, Jean et Bérenger commentent l'événement. Ils tentent d'expliquer le phénomène, mais les hypothèses que Bérenger propose sans conviction dérivent rapidement vers l'absurde. À l'indignation croissante de Jean devant le « scandale » que constitue cette infraction à l'ordre public s'oppose l'indifférence persistante de Bérenger.

Passe Daisy, jeune et blonde dactylo, collègue de bureau de Bérenger qui, troublé par cette apparition, renverse son verre sur

1. De « JEAN. Non, je n'en reviens pas » (p. 33) à LE VIEUX MONSIEUR. « Je dis que... » (p. 60).

Jean. Jean, furieux de l'incident, entame un nouveau procès de l'alcool. Pour montrer que c'est la boisson qui pèse sur Bérenger, et pour donner la preuve de sa propre légèreté, il imite l'oiseau, bousculant à son tour le Vieux Monsieur qui repasse avec le Logicien.

Deux conversations se poursuivent en parallèle : celle de Jean et Bérenger, autour de la morale (comment conduire sa vie ?), et celle du Logicien et du Vieux Monsieur, autour de la logique (comment conduire sa pensée ?), qui débouchent sur des impasses. Un bruit de plus en plus intense vient perturber la double discussion, obligeant les adversaires à parler de plus en plus fort : passe un nouveau rhinocéros.

REPÈRES POUR LA LECTURE

Un antagonisme exacerbé

Le début de cette séquence nous ramène à la situation initiale : le dialogue de Jean et de Bérenger. Mais les deux amis tendent cette fois à se comporter comme des adversaires. Bérenger propose des hypothèses de plus en plus fantaisistes pour expliquer la présence des rhinocéros : son interlocuteur a l'impression qu'il se moque de lui. Entre eux, les antagonismes se creusent : aux doutes et aux complexes de Bérenger, visiblement intimidé par Daisy, Jean répond par un éloge brutal de la force.

Les contradictions du personnage, suggérées dans la séquence précédente, apparaissent plus nettement ici. Après avoir reproché son alcoolisme à Bérenger, Jean boit lui-même un pastis ; après l'avoir réprimandé pour sa maladresse, il en commet une lui-même. Et son éloge de la force, qui reprend le thème de l'« homme supérieur », annoncé comme un raisonnement argumenté, s'effondre aussitôt, pour se réduire à une tautologie[1] : « J'ai de la force parce que j'ai de la force » (p. 44).

1. Une *tautologie* : une proposition redondante.

Les perversions de la logique

Le Logicien multiplie les erreurs de raisonnement en prétendant expliquer au Vieux Monsieur comment fonctionne le syllogisme. Il s'inspire d'un exemple classique de cet exercice de déduction (« Tous les hommes sont mortels, or Socrate est un homme, donc Socrate est mortel »), mais, mélangeant l'ordre et la hiérarchie des termes, il aboutit à une série d'absurdités (« tous les chats sont mortels. Socrate est mortel. Donc Socrate est un chat », p. 46), qui dérèglent la suite de la conversation.

Grâce à un montage subtil qui entrecroise les deux dialogues, cette leçon de logique pervertie contamine l'autre leçon, la leçon de morale donnée parallèlement par Jean à Bérenger. La fausse logique de l'un dénonce la fausse morale de l'autre.

SÉQUENCE 3 (PAGES 60 À 88)[1]

RÉSUMÉ

Le deuxième passage de *Rhinocéros* rassemble à nouveau tous les personnages sur la place. Les dégâts sont plus importants que la première fois : les chaises se renversent, les verres se brisent et le chat de la Ménagère se fait écraser par le « fauve ». Chacun réagit à sa façon à la mort du petit chat : le Vieux Monsieur présente ses condoléances, le Logicien peut enfin donner un sens à son syllogisme (« tous les chats sont mortels », p. 46), le Patron ne pense qu'à ses verres, tandis que Bérenger, profitant de l'émotion générale, ose adresser la parole à Daisy.

Un débat collectif s'engage : s'agit-il du même rhinocéros, ou d'un autre ? Jean opte pour la seconde hypothèse : il affirme que le premier était bicornu, l'autre unicornu, ce qui distinguerait selon

1. De « JEAN, *prenant conscience des bruits qui sont très proches* » (p. 60) à la fin du premier acte (p. 88).

lui le rhinocéros d'Asie du rhinocéros d'Afrique. Bérenger le contredit point par point : les rhinocéros sont passés trop vite pour qu'on puisse compter leurs cornes, et est-il bien certain que l'unicornu soit celui d'Afrique ? La tension monte à nouveau entre les deux amis. Jean, furieux, quitte les lieux en insultant Bérenger, mais le débat continue sur la question de savoir si c'est le bicornu qui vient d'Asie, ou d'Afrique, et vice-versa. Le Logicien, qui s'est tu jusque-là, intervient pour trancher la question, qu'il embrouille définitivement.

Derrière le petit cercueil du chat, le cortège funèbre quitte la place. Bérenger regrette son altercation avec Jean et se console avec un verre de cognac.

REPÈRES POUR LA LECTURE

Une amitié menacée

Au-delà des dégâts matériels, le deuxième rhinocéros provoque une détérioration des relations humaines, comme le montre la brouille entre Jean et Bérenger : par paliers successifs, les deux amis sont passés de la discussion à l'affrontement et à la rupture. En premier lieu, le ou les rhinocéros exacerbent donc les antagonismes et perturbent la communication amicale et sociale.

Une controverse absurde

Le débat qui s'engage sur la place publique autour de la « nationalité » du ou des rhinocéros, en relation avec le nombre de leurs cornes, paraît purement formel. Cette querelle d'école ne fait qu'esquiver ou dissimuler la vraie question : celle du danger, bien réel, que représentent les rhinocéros pour la cité. La dimension parodique l'emporte pour le moment : le débat s'inspire évidemment de l'éternelle discussion sur le nombre de bosses du chameau et du dromadaire, et le Logicien, fidèle à lui-même, lui fait atteindre le comble de l'absurdité.

Mais les arguties de cet « intellectuel », auxquelles personne ne comprend rien, font émerger un autre débat, à peine esquissé en cette fin d'acte : un débat politique, qui laisse émerger une forme de racisme. « Pouvons-nous admettre que nos chats soient écrasés sous nos yeux par des rhinocéros à une corne, ou à deux cornes, qu'ils soient asiatiques, ou qu'ils soient africains ? » (p. 87). La question de l'Épicier répond à distance à l'affirmation de Bérenger selon qui « Les Asiatiques sont des hommes comme tout le monde. » (p. 72). L'usage du possessif et du pluriel (« nos » chats) renvoie sans équivoque aux chats « français », opposés aux barbares venus du dehors. L'effet est d'abord comique : il est absurde d'attribuer aux chats ou aux rhinocéros un certificat de nationalité. Mais le comique tend ici vers un autre registre, plus grave et plus inquiétant, qui annonce la suite de la pièce.

ACTE II, PREMIER TABLEAU

SÉQUENCE 1 (PAGES 91 À 110)[1]

RÉSUMÉ

Le lendemain matin, dans les bureaux d'une maison d'éditions juridiques. Daisy, ses collègues Botard et Dudard, et Monsieur Papillon, le chef de service, commentent « à chaud » les événements de la veille. Botard se refuse à croire à l'existence du ou des rhinocéros, malgré le témoignage de Daisy et l'article de journal invoqué par Dudard.

---

1. De « Décor. *Le bureau d'une administration* » (p. 91) à « BOTARD. Je dis que c'est une insulte » (p. 110).

Botard, ancien instituteur, campe sur ses positions, au nom de la méthode, et de la pensée scientifique (p. 94). Il s'en prend tour à tour aux journalistes, aux méridionaux, aux curés, qu'il accuse d'exagération ou d'affabulation ; il s'en prend surtout à Dudard, licencié en droit, dont il semble jalouser les diplômes...

Bérenger arrive à la dernière minute, juste à temps pour signer la feuille de présence. Ce second témoin oculaire renforce Daisy et Dudard dans leur position, et met Botard en difficulté. Monsieur Papillon, qui jusque-là s'est tenu au-dessus de la mêlée, intervient pour remettre tout le monde au travail et couper court à cette « polémique stérile » (p. 106), qui reprend dès qu'il a tourné le dos.

REPÈRES POUR LA LECTURE

Un espace hiérarchisé

À l'espace du loisir (le plein air, le café, le carillon) succède l'espace du travail (le huis clos, le bureau, l'horloge « pointeuse »). La longue didascalie initiale définit un univers strictement hiérarchisé. Elle décrit précisément la position et la taille des meubles (tables, chaises) qui, au même titre que les costumes (du complet bleu au gris jusqu'à la blouse grise), renvoient aux fonctions respectives des employés.

Botard, une caricature de l'idéologue

Botard, le personnage-clé de ce tableau, incarne une nouvelle forme de dogmatisme : un dogmatisme qui ne serait plus formel, comme celui du Logicien, mais idéologique. Il représente une figure typique de la Troisième République, qu'on identifie aussitôt : celle de l'instituteur anticlérical, détestant les curés et, à la suite de Marx, dénonçant la religion comme « opium du peuple ». Mais ce militant, défenseur d'une morale laïque et républicaine, se transforme très vite en caricature : celle d'un fanatique borné qui donne à ses frustrations et à ses rancœurs personnelles une coloration politique.

RÉSUMÉ

Monsieur Papillon revient pour constater l'absence de l'un de ses employés, Monsieur Bœuf, au moment où Madame Bœuf fait son entrée. Elle vient excuser son mari, victime d'une « légère grippe », et s'effondre sur une chaise : elle a été poursuivie par un rhinocéros qui l'attend au bas de l'escalier. À cet instant, l'escalier s'effondre, pendant qu'on entend des « barrissements angoissés » (p. 113). Dans le rhinocéros qui tourne en rond au rez-de-chaussée, Madame Bœuf reconnaît son mari ! Elle saute dans le vide pour le rejoindre et monte sur son dos : ils partent au galop.

Daisy tente d'appeler les pompiers, occupés par les rhinocéros qui semblent se multiplier dans la ville. Botard, contraint de se rendre à l'évidence, prétend ne l'avoir jamais niée ; il se venge en proférant des menaces contre les agents de l'étranger et un mystérieux complot universel. Les pompiers arrivent enfin, avec leur grande échelle ; tous sortent par la fenêtre.

REPÈRES POUR LA LECTURE

Une scène de reconnaissance

Le moment où Madame Bœuf reconnaît son mari dans le rhinocéros peut se lire comme la parodie d'une situation classique de comédie : la scène de reconnaissance. Le registre comique est très présent dans cette séquence, des jeux de mots (Monsieur « Bœuf » semblait prédestiné à sa métamorphose) aux jeux burlesques : la condition petite-bourgeoise des personnages est en complet décalage avec les références mythologiques qui leur sont associées (Madame Bœuf, qui pratique l'« équitation » à dos de rhinocéros, se transforme en « amazone » !).

1. De « *La porte du cabinet du chef* » (p. 110) à la fin du premier tableau (p. 135).

Mais la tension tragique ne cesse de progresser. Les signes d'humanité du nouveau rhinocéros, dont les marques d'agressivité sont interprétées par Madame Bœuf comme autant de manifestations de tendresse ou de désir, nous conduisent à une vérité angoissante : si les rhinocéros sont des hommes, la ville n'est plus victime d'une invasion, mais d'une maladie ou d'une épidémie ; et le danger ne vient pas, comme il pouvait être rassurant de le croire, de l'extérieur, mais bien de l'intérieur.

La catastrophe

Une scène d'action succède sans transition à une scène de débat ou de controverse : l'effondrement de l'escalier déclenche une accélération du rythme, une précipitation des événements, une multiplication des rhinocéros. Et la destruction du rez-de-chaussée de l'immeuble, qui laisse les personnages suspendus dans le vide, marque une nouvelle étape dans la désagrégation de l'ordre social, atteint dans ce qu'il a de plus symbolique : le travail. Dans cette situation de catastrophe, les rappels à l'ordre administratif (Monsieur Papillon), les références aux procédures juridiques (Dudard) ou syndicales (Botard), les politesses absurdes au moment de s'enfuir paraissent de plus en plus dérisoires, et décalées par rapport à une réalité incontrôlable.

ACTE II, DEUXIÈME TABLEAU

SÉQUENCE 3 (PAGES 136 À 166)[1]

RÉSUMÉ

Bérenger rend visite à Jean pour s'excuser de la dispute de la veille et se réconcilier avec son meilleur ami. Jean, couché,

1. Cette séquence couvre l'ensemble du deuxième tableau.

semble souffrant : il tousse, se plaint de la tête, et plus précisément du front. Les symptômes de son mal se multiplient : sa peau durcit et verdit, ses allées et venues se font rectilignes et brutales, ses propos violents et décousus. Il va et vient entre sa chambre et sa salle de bains : de chaque voyage, il revient modifié, jusqu'à se transformer complètement en rhinocéros. Bérenger, affolé, l'enferme dans la salle de bains et tente de s'enfuir ; il appelle les voisins à l'aide, qui se métamorphosent à leur tour. Une armée de rhinocéros envahit les alentours du plateau et encercle Bérenger, qui s'enfuit *in extremis*, lorsque s'effondre le mur du fond.

REPÈRES POUR LA LECTURE

Une métamorphose en direct

Ce tableau marque un degré supplémentaire dans la progression de l'angoisse et fait définitivement basculer la pièce du côté de la tragédie. La métamorphose cesse d'être une rumeur ou une hypothèse : pour la première fois, la transformation d'un homme en rhinocéros se déroule sous nos yeux, grâce à l'astuce scénographique de la salle de bains, qui permet au comédien de se transformer en coulisses. Les indices de la rhinocérisation de Jean se multiplient et convergent avec une telle évidence que nous les interprétons longtemps avant Bérenger, qui refuse jusqu'au dernier moment de voir ce qui crève les yeux.

Un nouveau débat : nature contre morale

Ce changement à vue est d'autant plus frappant qu'il affecte le personnage censé incarner la normalité. Le défenseur de la morale et de la culture change de camp, renie ce qu'il a défendu et cède à la tentation rhinocérique. Mais ce revirement était peut-être en germe dans les prises de position de Jean à l'acte I : il montre que son humanisme se réduisait à un conformisme, et sa morale à un moralisme.

Ses considérations sur l'« homme supérieur », qui pouvaient d'abord passer pour des lieux communs de la conversation, prennent ici un sens plus précis : la défense de la nature face à la morale peut faire penser à certains thèmes de la philosophie de Nietzsche (le « surhomme », la nécessité de dépasser la morale affirmée dans *Au-delà du Bien et du Mal*). Elle se réfère aussi à l'idéologie de la droite française de l'entre-deux guerres, prônant le retour aux valeurs « naturelles », celles de la terre et de l'enracinement.

Après avoir montré la destruction des liens sociaux, le deuxième acte met donc en scène la dissolution des liens individuels : « L'amitié n'existe pas » (p.151), proclame Jean. Quelles ressources reste-t-il donc à l'homme ?

ACTE TROISIÈME

SÉQUENCE 1 (PAGES 169 À 217)[1]

RÉSUMÉ

La chambre de Bérenger. Bérenger est couché, la tête bandée, en plein cauchemar : il rêve de cornes de rhinocéros. Au réveil, il se rassure avec un verre de cognac. Il reçoit la visite de son collègue Dudard : il se plaint, comme Jean au début du tableau précédent, de migraines ; il va et vient d'un bout à l'autre de la chambre et ne cesse d'examiner son front.

Il est toujours sous le choc de la métamorphose de son ami, qu'il s'explique d'autant moins qu'il considérait Jean comme un « grand défenseur de l'humanisme » (p. 175). Dudard tente de le raisonner : il cherche des explications, tour à tour psychologiques

1. Décor. « *À peu près la même plantation qu'au tableau précédent.* » (p. 169) à « DAISY. Que puis-je y faire ? » (p.217).

(Jean n'était pas ce qu'il paraissait, « c'était un excité, un peu sauvage, un excentrique », p.177) et médicales (il développe la thèse de la maladie ou de l'épidémie).

Le visiteur apporte des nouvelles du monde extérieur. En dépit de son ton désinvolte, qui tend à relativiser les événements, ses révélations sont alarmantes : Monsieur Papillon, le chef de service, s'est transformé en rhinocéros ! Aussitôt, Bérenger prend la défense de Botard, qui a su résister à son chef. Un nouveau débat philosophique s'engage, autour de la théorie et de la pratique. Dudard n'a aucun mal à prendre le dessus sur Bérenger, qui s'embrouille dans des explications de plus en plus confuses, s'infantilise (« La folie, c'est la folie, na ! », p. 197), puis se met en colère. En désespoir de cause, il invoque le Logicien, lorsqu'on voit apparaître la corne d'un rhinocéros coiffée d'un canotier : le chapeau du Logicien.

Daisy fait son entrée avec un panier à provisions. Elle apporte à son tour une « nouvelle fraîche » (p. 204) : Botard est devenu rhinocéros. Il paraît évident que la rhinocérisation progresse de plus en plus rapidement, même si les fauves restent minoritaires.

Par quelques allusions, Dudard trahit son intérêt pour Daisy et sa jalousie à l'égard de Bérenger. Il hésite à accepter leur invitation à déjeuner. Les bruits extérieurs se font de plus en plus puissants. La caserne des pompiers s'écroule : les pompiers, eux aussi, sont rhinocérisés. La proportion s'inverse : en quelques minutes, les rhinocéros sont devenus majoritaires. Dudard cède à son tour à la tentation et, en dépit des protestations de Daisy et de Bérenger, il rejoint ses nouveaux amis.

REPÈRES POUR LA LECTURE

Une inquiétante répétition

Le troisième acte débute exactement comme le dernier tableau du deuxième acte : les deux chambres, celle de Jean et celle de Bérenger, se superposent. Bérenger occupe la même position que Jean (enfermé, somnolent, dos tourné au public) et souffre des mêmes symptômes. La scène précédente semble donc se rejouer, et cette répétition introduit un suspens dramatique : Bérenger n'est-il pas en train de suivre le même chemin que Jean ? Mais le doute est peu à peu levé. Même les accès de colère de Bérenger sont les signes d'une réaction humaine, les preuves d'une rassurante faiblesse, aux antipodes de la « force » surhumaine de Jean.

Dudard : les limites de la tolérance

Cette séquence met en scène un nouveau couple antagoniste, celui que forment Dudard et Bérenger. Face à ce que les psychologues appellent un sujet « primaire », qui réagit immédiatement et émotionnellement, Dudard incarne un sujet « secondaire », qui examine la réalité à distance, avec le recul de la réflexion et de l'humour ; il symbolise aussi le « libéral », celui qui a les idées larges et veut comprendre tous les points de vue. Mais sa tendance à relativiser les situations les plus critiques le conduit à penser que rien n'a vraiment d'importance. Sa neutralité pourrait être une forme d'indifférence, voire d'égoïsme, qui le fait finalement glisser du côté de la nouvelle majorité.

Sa métamorphose, moins attendue que celle de Jean, est d'un tout autre type ; elle n'est annoncée que par quelques indices discrets : Dudard adopte tour à tour la position de Jean (« la meilleure façon de se défendre contre la chose c'est d'avoir de la volonté », « ne buvez plus de cognac ... vous serez plus sûr de vous », p. 181) et celle du Logicien (« L'un et l'autre ou l'un ou l'autre, c'est à débattre », p. 197). Cette transformation insensible et, contrairement à la métamorphose physique et brutale de Jean, purement intellectuelle, témoigne de l'universalité de la rhinocérisation. Elle marque aussi la défaite, sinon de l'intelligence, en tout cas d'un certain type d'intellectuel « éclairé » qui, à force de tolérance, finit par accepter l'intolérable.

RÉSUMÉ

Bérenger et Daisy sont désormais seuls. C'est au tour de Bérenger de proposer une explication psychologique de la métamorphose de Dudard : il a dû être poussé par le dépit amoureux, et par le désir d'impressionner Daisy.

Les rhinocéros déferlent. Bérenger et Daisy tentent de se réfugier dans les certitudes du couple et le rêve du bonheur à deux, envers et contre tout. Daisy se fait tour à tour épouse, mère, maîtresse de maison, ménagère...

Le téléphone sonne, mais ne fait entendre que des barrissements, de même que la radio. Le mur du fond s'orne de têtes de rhinocéros qui deviennent de plus en plus belles et dont les barrissements se font de plus en plus mélodieux. Ces monstres semblent peu à peu séduire Daisy. À l'intérieur du couple, la faille s'élargit rapidement ; à la première dispute puis à la première gifle succède la rupture. Daisy s'éclipse à son tour.

Bérenger est définitivement seul. Son long monologue final traduit ses doutes et ses angoisses persistantes ; mais cet antihéros choisit, malgré tout, de ne pas capituler.

REPÈRES POUR LA LECTURE

Une vie de couple accélérée

« En quelques minutes, nous avons donc vécu vingt-cinq années de mariage » (p. 240) : cette séquence est le condensé fulgurant d'une histoire d'amour. On passe sans transition du stade de la séduction à celui de l'amour (en quelques répliques, le « tu » remplace le « vous »), puis du bonheur conjugal, des habitudes et de la lassitude, et enfin de la rupture. Cette accélération du temps intérieur correspond à l'accélération de l'épidémie : le rythme de la

1. De « BÉRENGER. Revenez, Dudard » (p. 217) à la fin de la pièce.

vie individuelle se calque sur celui de la vie collective. À la défaite de l'amitié succède celle de l'amour. Bérenger n'a plus de recours qu'à lui-même.

Un monologue ambigu

Le monologue cesse ici d'être une convention théâtrale pour devenir la traduction nécessaire de la situation dramatique. Bérenger est désormais le seul à savoir et à pouvoir parler. Il faut se garder d'interpréter cette scène finale comme une nouvelle métamorphose, celle de l'antihéros en héros. Bérenger reste ici fidèle à lui-même, exprimant ses doutes, ses interrogations, ses contradictions. Même sa décision finale reste ambiguë : s'agit-il d'un acte de courage, d'un sursaut velléitaire, de l'énergie du désespoir, d'un choix suicidaire ? La pièce ne répond pas à la question. La fin reste « ouverte », et ne délivre aucun message univoque. Le théâtre de Ionesco, même quand il entend « signifier », reste aux antipodes d'un théâtre à thèse.

DEUXIÈME PARTIE

Problématiques essentielles

1 *Rhinocéros* dans la vie et l'œuvre de Ionesco

LES DEUX CÔTÉS : FRANCE-ROUMANIE

Toute l'œuvre de Ionesco est marquée par la dualité : tour à tour ou à la fois comique et tragique, anarchiste et humaniste, avant-gardiste et classique, elle a été jouée à Paris dans les salles minuscules de la rive gauche (*La Cantatrice chauve* et *La Leçon* se donnent depuis cinquante ans au petit Théâtre de la Huchette), puis à la Comédie-Française (*La Soif et la Faim*, 1966), avant d'entrer à l'Académie française (1971). Cette dualité semble inscrite dans sa biographie de son auteur.

Eugène Ionesco est né à Slatina, en Roumanie, d'un père roumain et d'une mère française, en 1909 et non en 1912, comme l'indiquaient ses premiers biographes dans le souci de « rajeunir » cet auteur d'avant-garde. Il est très vite écartelé entre ses deux pays, ses deux langues et ses deux parents. Sa famille vient s'installer en France en 1911. Le couple est désuni, et le père, ayant fini ses études de droit, repart seul à Bucarest en 1916, où il se remarie sans en avertir son épouse, qui, pendant des années, le croit disparu. Eugène et sa sœur vivent une enfance partagée entre les difficultés matérielles de la vie à Paris pendant la guerre et les séjours idylliques dans une ferme de Mayenne que Ionesco décrit dans ses textes autobiographiques comme un « paradis ».

En 1922, le frère et la sœur rejoignent leur père à Bucarest. Eugène réapprend le roumain comme une langue étrangère. Il entreprend des études de lettres à l'université de Bucarest et écrit ses premiers textes en roumain : un recueil de poèmes, un recueil d'articles critiques intitulé *Nu* (qui signifie « Non »). Ses rapports avec sa belle-mère et surtout avec son père sont de plus en plus difficiles. À ce père autoritaire, il reproche notamment de prendre le parti du mouvement fasciste de la Garde de fer, créé en 1931 par Corneliu Codreanu, auquel adhèrent alors la plupart de ses amis.

En 1938, Ionesco, qui a obtenu une bourse de l'Institut français de Bucarest pour faire une thèse sur Baudelaire, revient à Paris. Mobilisé, il doit rejoindre la Roumanie en 1940 mais réussit à gagner Marseille en 1942, puis Paris où il vit de corrections d'épreuves (dans une maison d'éditions juridiques qui a sans doute inspiré celle évoquée dans *Rhinocéros*) et de traductions. En 1950, la création de sa première pièce, *La Cantatrice chauve*, jouée devant une poignée de spectateurs au petit théâtre des Noctambules, marque la naissance d'un nouveau théâtre. La vie de Ionesco se confond désormais avec celle de son œuvre.

UNE « TRAGÉDIE DU LANGAGE » ?

« Quand je suis revenu en France, je savais le français, bien sûr, mais je ne savais plus l'écrire. Je veux dire « littérairement ». Il a fallu me réhabituer. Cet apprentissage, ce désapprentissage, ce réapprentissage, je crois que ce sont des exercices intéressants », déclare Ionesco dans un livre d'entretiens avec Claude Bonnefoy[1]. Il n'est donc pas surprenant qu'il présente un « manuel de conversation franco-anglaise » (en l'occurrence la célèbre méthode *Assimil*) comme la source de sa vocation théâtrale.

Dans *Notes et contre-notes*[2], il retrace la genèse de *La Cantatrice chauve*. Quelques phrases recopiées de son manuel d'apprentissage de l'anglais lui apprennent

1. Claude Bonnefoy, *Entretiens avec Eugène Ionesco*, Belfond, 1966, p. 23-24.
2. Eugène Ionesco, *Notes et contre-notes*, Gallimard, 1962; coll. « Folio Essais », 1991, p. 243-244.

> non pas l'anglais, mais des vérités surprenantes : qu'il y a sept jours dans la semaine, par exemple, ce que je savais d'ailleurs ; ou bien que le plancher est en bas, le plafond en haut, chose que je savais également, peut-être, mais à laquelle je n'avais jamais réfléchi sérieusement ou que j'avais oubliée, et qui m'apparaissait, tout à coup, aussi stupéfiante qu'indiscutablement vraie.

Derrière l'humour provocateur se cache une des intuitions fondamentales de l'auteur : c'est la capacité d'étonnement devant le spectacle des hommes et du monde qui constitue la source de sa « philosophie », et de toute son œuvre.

Dans *La Cantatrice chauve*, Ionesco attribue les répliques stéréotypées du manuel à deux couples anglais, marionnettes interchangeables (qui vont d'ailleurs échanger leurs rôles à la fin de la pièce), les Smith et les Martin. Mais la satire des lieux communs de la conversation, absurdes à force d'être évidents, se transforme progressivement ; elle devient caricature des automatismes du langage qui dérivent et dérapent peu à peu. La pièce s'achève sur un véritable jeu de massacre : les quatre personnages se battent littéralement à coups de phrases, jusqu'à désintégrer le langage articulé, faisant voler en éclats la syntaxe, la grammaire, le vocabulaire, réduisant les mots à des syllabes, à des lettres, abolissant toute signification.

> Lorsque j'eus terminé ce travail, j'en fus, tout de même, très fier. Je m'imaginai avoir écrit quelque chose comme la tragédie du langage[1] !

Ici encore, il faut faire la part de l'autodérision et du sens de la provocation de Ionesco, qui feint d'avoir été surpris par les rires des premiers spectateurs ; il n'en reste pas moins que la formule pourrait définir une grande part de son œuvre.

Dans la pièce suivante, *La Leçon* (1951), la critique du langage, tout aussi jubilatoire, prend une forme plus ambiguë et plus

1. *Notes et contre-notes*, p. 248.

dramatique à la fois. Le Professeur et son Élève explorent tous les domaines du savoir, des mathématiques à la linguistique, en passant peu à peu du pur jeu formel à la démonstration subtile des ambivalences et des contradictions du langage. Mais la leçon se transforme progressivement en un affrontement qui repose sur la dynamique même du discours. « La philologie mène au pire[1] », prédit la Bonne: le mécanisme du langage, qui agit comme une force autonome, fait perdre peu à peu à l'Élève toute assurance et toute énergie, et rend le Professeur de plus en plus dominateur, jusqu'à le pousser au meurtre. Pour la première fois, Ionesco met en rapport l'usage du langage avec le principe d'autorité, la violence du pouvoir ou de l'abus de pouvoir.

Dans *Les Chaises* (1952) apparaît un autre mode de dérision du langage. La pièce met en scène un Vieux et une Vieille, qui, avant de mourir, ont convoqué une assemblée à qui ils veulent délivrer leur ultime message, le résumé de leur philosophie. Mais les invités restent invisibles, remplacés ou représentés par des chaises vides qui s'accumulent sur le plateau; et l'orateur, le professionnel de la parole chargé de délivrer le message, qui fait son entrée au dénouement, est muet et n'émet que quelques borborygmes.

Ionesco, encore une fois, met en crise le langage et met en doute sa prétention à signifier. Mais il joue aussi sur la force de l'image scénique, sur la dynamique de ces objets qui envahissent le plateau, le transforment en labyrinthe et donnent la sensation du vide par son contraire, le trop-plein. Toutes les pièces brèves et explosives de cette période combinent ainsi deux processus parallèles: celui de la prolifération anarchique du langage, et celui de l'accumulation étouffante ou obsédante des objets et des corps[2].

---

1. Eugène Ionesco, *La Leçon*, Gallimard, 1951; coll. « Folio », 1973, p. 117.
2. Eugène Ionesco, *L'Avenir est dans les œufs*, 1951; *Amédée ou comment s'en débarrasser*, 1954.

LE TOURNANT DU CYCLE BÉRENGER

« Il me semble parfois que je me suis mis à écrire du théâtre parce que je le détestais », écrit-il dans *Notes et contre-notes*[1]. Le Ionesco des années 50 est le maître de l'« antithéâtre », comme le montrent les déterminations génériques de ses premières pièces (une « anti-pièce », un « drame comique », une « farce tragique », un « pseudo-drame », etc.). Les années 60 marquent un tournant dans sa dramaturgie : aux pièces courtes et purement absurdes du début succède une série d'œuvres plus longues, plus sérieuses, plus « signifiantes », inaugurée par le cycle Bérenger.

Tueur sans gages (1959), *Rhinocéros* (1959), *Le Roi se meurt* (1962) et *Le Piéton de l'air* (1963) : ces quatre pièces, dont le héros porte le même nom, Bérenger (même s'il ne s'agit pas forcément du même personnage), mettent en scène l'individu dans la cité, confronté à des formes différentes du mal : le pouvoir, le crime, la mort. Dans la première pièce du cycle, *Tueur sans gages*, Bérenger, que Ionesco décrit dans sa préface comme un « modeste citoyen, homme naïf et sensible », réussit à identifier l'assassin qui terrorise la « Cité radieuse » ; devant l'indifférence de la police, il part seul à sa recherche. Cette pièce constitue la meilleure introduction à *Rhinocéros*, dont elle annonce précisément la structure, les thèmes et les personnages : une intrigue policière, une dimension satirique (la caricature du discours démagogique des politiciens), et un héros malgré lui, de plus en plus seul face au danger grandissant qui plane sur la ville. *Tueur sans gages* se termine par un long soliloque de Bérenger, impuissant face à un adversaire silencieux, qui préfigure le monologue final de *Rhinocéros*.

Les obsessions tragiques prennent donc peu à peu le pas sur la logique déréglée de l'absurde, et l'angoisse philosophique sur le burlesque, tandis que la critique du langage s'articule de plus en

1. *Notes et contre-notes*, p. 47.

plus directement sur celle de l'exercice abusif ou délirant de la force et du pouvoir.

Mais il serait artificiel d'opposer trop radicalement les deux Ionesco. Il s'agit d'une évolution plus que d'une rupture. L'angoisse n'est pas absente des premières pièces, ni le burlesque des dernières. Les œuvres les plus métaphysiques, de *La Soif et la Faim* (1966) à *Voyages chez les morts* (1982), coexistent avec un genre que Ionesco n'a jamais cessé de pratiquer, le sketch. La même année que *La Soif et la Faim, La Lacune* raconte (quatre ans avant l'entrée de l'auteur à l'Académie française!) la mésaventure d'un académicien recalé au bac qu'il avait oublié de passer. En 1969, *Exercices de conversation et de diction françaises pour étudiants américains* rappelle, vingt ans après, le manuel qui constituait le point de départ de *La Cantatrice chauve*.

Même en s'engageant dans une quête de plus en plus intérieure et de plus en plus spirituelle, comme le montrent les nombreux textes autobiographiques des années 70 et 80 (*La Quête intermittente*, 1988), Ionesco n'aura jamais renoncé à dynamiter le langage ni à s'inspirer de la poésie de l'absurde. C'est ce que montre *Rhinocéros*, qui associe exemplairement les deux manières de l'auteur, le délire joyeux, jubilatoire du non-sens et le pessimisme politique et métaphysique.

2 Le paysage théâtral des années 50

La vie théâtrale de l'après-guerre est d'abord marquée par le grand projet de « théâtre populaire », porté par le metteur en scène Jean Vilar, qui rêve de rassembler le public le plus large possible autour du théâtre; amorcé en 1947 avec la création du Festival d'Avignon, ce projet prend corps avec la naissance du Théâtre national populaire en 1951: dans les vastes espaces de la cour d'honneur du palais des Papes ou du palais de Chaillot, Vilar fait découvrir au plus grand nombre les chefs-d'œuvre du répertoire français et étranger, dans une esthétique dépouillée qui entend rompre radicalement avec le « décorativisme » du théâtre de divertissement.

À l'opposé des grandes célébrations vilariennes, la création des premières pièces de Beckett ou de Ionesco, dans de petites salles d'art et d'essai de la rive gauche, apparaît d'abord comme un phénomène confidentiel. Selon Claude Roy,

> Vilar veut parler aux hommes et parler des hommes ensemble. Beckett et Ionesco sont des solitaires qui font vivre des solitaires. Vilar veut être national et populaire. Beckett, Ionesco, Adamov sont cosmopolites et marginaux[1].

Deux conceptions du théâtre s'affrontent: face au théâtre de la cité, un théâtre de l'individu; face au théâtre populaire, un théâtre d'avant-garde; mais surtout, face au théâtre « positif » de Vilar, qui se propose de construire un nouvel humanisme sur les ruines de la guerre

---

1. Claude Roy, *Jean Vilar*, Calmann-Lévy, 1987, p. 214.

et de l'Holocauste, un théâtre destructeur, qui dresse le constat de l'effondrement de toutes les valeurs héritées du siècle des Lumières.

NAISSANCE DU « THÉÂTRE DE L'ABSURDE »

En 1950, un jeune metteur en scène, Nicolas Bataille, crée, dans le minuscule théâtre des Noctambules, au Quartier latin, *La Cantatrice chauve*. On découvre la même année *L'Invasion* d'Arthur Adamov et *L'Équarrissage pour tous* de Boris Vian. En 1952, Sylvain Dhomme crée *Les Chaises* au théâtre Lancry. L'année suivante, Roger Blin monte *En attendant Godot* au théâtre de Babylone, qui révèle le théâtre de Beckett : sur une route, au pied d'un arbre, deux personnages mi-clowns mi-clochards nommés Vladimir et Estragon en attendent un troisième, Godot, avec qui ils croient avoir rendez-vous, et qui ne viendra jamais.

On a souvent rapproché *Les Chaises* de *En attendant Godot*. Les deux pièces posent aux spectateurs des questions analogues : que veulent dire ces chaises sur lesquelles personne ne s'assied, ou cet arbre nu sur une route déserte ? Que signifient l'absence de Godot, ou l'intervention de cet orateur qui, contrairement à Godot, finit par arriver, mais pour ne rien dire ? Questions auxquelles les pièces n'apportent aucune réponse, comme si ce théâtre refusait, avant tout, de signifier : le « Théâtre de l'absurde » est né.

Le terme a été inventé par le critique anglais Martin Esslin en 1961, dans un livre qui regroupe Beckett, Adamov, Ionesco, Genet, Tardieu, Vian, Arrabal, Pinter. D'autres dénominations, « Nouveau théâtre », « Antithéâtre », « Théâtre de dérision », renvoient à ce mouvement, dont les deux piliers sont Beckett et Ionesco.

Cette étiquette présente l'inconvénient d'enrôler dans le même camp des auteurs très différents : il serait facile de montrer tout ce qui sépare le théâtre de Beckett de celui de Ionesco. Beckett vide la scène, en fait un « no man's land » qui se réfère le moins possible à la réalité. Ionesco détourne l'espace naturaliste du vaudeville, chambres ou salons bourgeois, déréglés par l'invasion des corps ou des objets. Beckett réduit ses personnages à l'essentiel, les dépouillant de tous leurs attributs traditionnels. Ionesco les mécanise, en fait des pantins ou des marionnettes. D'un côté, un théâtre minimal, où tout repose sur la rareté, l'économie de moyens; de l'autre, un théâtre de l'excès, de la prolifération anarchique. Ionesco s'est lui-même défini comme un « baroque », par opposition au « classique » Beckett.

Mais au-delà de ces différences, les « nouveaux dramaturges » du début des années 50 présentent de nombreux points communs. Au moment où les écrivains du « nouveau roman », Robbe-Grillet, Butor ou Sarraute, remettent en question les certitudes du récit traditionnel, Ionesco et Beckett font entrer le théâtre dans l'« ère du soupçon »; ils rompent avec la tradition du théâtre occidental en refusant de « raconter une histoire » et de « faire vivre des personnages », en rejetant l'intrigue et la psychologie: ils inventent un théâtre de l'inaction et de l'anonymat.

Enfin, Ionesco, Beckett, Adamov, d'origine roumaine, irlandaise et arménienne, écrivent tous les trois dans la « langue de l'autre »; et tous s'en prennent au fonctionnement même du langage: Ionesco de façon ludique, en jouant systématiquement avec les sons et le sens, Beckett plus sérieusement, en mettant l'accent sur les ambiguïtés de la parole, lieu de tous les contre-sens et de tous les malentendus. Mais il s'agit toujours de montrer l'infirmité du langage et de mettre en scène ce qu'Antonin Artaud, l'un des inspirateurs du Théâtre de l'absurde, appelle « la rupture entre les choses, et les paroles, les idées, les signes qui en sont la représentation[1] ».

LA « RÉVOLUTION BRECHTIENNE »

Au moment même où se développe le Théâtre de l'absurde, la troupe de Brecht, le *Berliner Ensemble*, fait une tournée à Paris en

1. Antonin Artaud, *Le Théâtre et son double*, Gallimard, 1964; coll. « Folios Essais », 1985, p. 12.

1954. Il s'agit d'une véritable révélation pour les intellectuels et les hommes de théâtre français, qui découvrent concrètement les principes du « théâtre épique » brechtien : un théâtre qui recourt à la narration, qui raconte au lieu de montrer[1], afin de changer la relation du spectateur avec le spectacle. Le spectateur du « théâtre dramatique » (c'est-à-dire tout le théâtre occidental jusqu'à Brecht...) participe au spectacle et communie, s'identifie avec le héros ; le spectateur du « théâtre épique » reste à distance de l'action et des personnages : au lieu de s'émouvoir, il cherche à comprendre, il analyse, critique, et tire les leçons de ce qu'il voit.

De nombreux intellectuels saluent la « révolution » brechtienne, y voyant une rupture radicale avec l'histoire du théâtre occidental. Cette « conversion » introduit un nouveau clivage dans le paysage théâtral des années 50 : l'écrivain Roland Barthes et le critique Bernard Dort, collaborateurs de *Théâtre populaire*, la revue du TNP dont ils font à partir de 1955 une tribune brechtienne, se détachent peu à peu de Vilar. Au théâtre de la communion prôné par le directeur du TNP, ils opposent un théâtre critique, au théâtre qui rassemble, un théâtre qui divise. Rejoints par Sartre, ils critiquent à la fois le répertoire du TNP, qui « fait partie de l'héritage culturel bourgeois », et son public, prétendument « populaire », en fait petit-bourgeois.

En même temps qu'ils remettent en question l'humanisme de Vilar, les intellectuels brechtiens dénoncent l'antihumanisme de Beckett et Ionesco. Le théâtre politique de Brecht, qui se réclame du marxisme, se situe aux antipodes du Théâtre de l'absurde. Brecht se propose sinon de changer le monde, au moins de donner aux hommes le désir de le changer, en montrant que rien n'est jamais fatal ni immuable. Ionesco et Beckett au contraire semblent dresser un constat négatif, celui de l'inutilité ou de l'impossibilité

---

1. D'où la référence au genre de l'épopée, qu'Aristote dans *La Poétique* opposait à celui du théâtre.

d'agir: l'inaction devient chez eux une fatalité, liée à la nature même de l'homme. En ce sens, la leçon de *La Résistible ascension d'Arturo Ui*, pièce dans laquelle Brecht raconte la montée d'Hitler vers le pouvoir, pourrait s'opposer exactement à celle de *Rhinocéros*, qui décrit l'« irrésistible ascension » des monstres. Brecht appelle un peuple à résister. Ionesco montre la dérisoire et vaine réaction d'un solitaire.

Sartre, interviewé par Bernard Dort, s'en prend au formalisme d'un théâtre « dont les auteurs se sont d'abord posé des problèmes de langage[1] », et à ses thèmes, « ceux de la solitude, du désespoir, du lieu commun, de l'incommunicabilité », qui seraient fondamentalement « bourgeois ». Sartre ajoutera quelques années plus tard : « Bien que Godot ne soit certainement pas une pièce de droite, elle présente une sorte de pessimisme universel qui attire les gens de droite[2]. » Cette remarque pourrait résumer toutes les critiques des intellectuels de gauche de l'époque à l'égard du Théâtre de l'absurde.

THÉÂTRE ET IDÉOLOGIE

Dans ce climat polémique, Ionesco se trouve pris entre deux feux: il est la cible à la fois de la critique conservatrice, qui lui reproche sa modernité, et de la critique brechtienne, qui lui reproche son négativisme et son pessimisme. Il répond à sa façon, en mettant en scène ses adversaires des deux bords dans une courte pièce, *L'Impromptu de l'Alma* (1955). Costumés en docteurs de Molière, le critique du *Figaro*, Jean-Jacques Gautier, et ceux de *Théâtre populaire*, Roland Barthes et Bernard Dort, s'affrontent à coups de phrases extraites de leurs articles.

1. *Théâtre populaire* n° 15, sept. 1955, recueilli dans *Un théâtre de situations*, Gallimard, 1973; coll « Folio Essais », 1992, p. 81.
2. *Un théâtre de situations*, p. 173.

Ionesco renvoie donc dos à dos ses adversaires « de gauche » et « de droite », en un geste symbolique qui pourrait résumer son attitude à l'égard des idéologies, et plus généralement de l'Histoire. Il a vécu personnellement la montée du fascisme à Bucarest dans les années 30, en voyant son père et la plupart de ses amis adhérer au mouvement des Gardes de fer ; il a assisté à l'ascension d'Hitler et du nazisme en Allemagne, traumatisé par l'hystérie collective des foules fascinées par le *Führer* ; il a connu l'occupation allemande à Paris. Au lendemain de la guerre, il se trouve confronté à l'installation des régimes communistes dans les pays de l'Est, et à leur évolution dramatique (*Rhinocéros* est écrit trois ans après l'intervention de l'armée soviétique à Budapest), et, en France même, au dogmatisme et à l'intolérance des intellectuels français alors marqués par l'existentialisme et Sartre, son chef de file.

Dans un recueil d'articles politiques, littéraires et polémiques intitulé *Antidotes* (1977), Ionesco rapproche curieusement sa « bête noire », Jean-Paul Sartre, de son propre père, cet opportuniste qui après avoir été royaliste à l'époque du royalisme, a adhéré au mouvement fasciste des Gardes de fer pour devenir communiste dès que les communistes ont été au pouvoir :

> Mon père croyait au pouvoir. Il croyait à l'Histoire. C'était une sorte de Jean-Paul Sartre instinctif. Il se croyait dans le sens de l'Histoire. Et il l'était en effet. Il en assumait toutes les erreurs[1].

Antifasciste et anticommuniste, cet adversaire de toutes les idéologies est d'abord un « ennemi de l'Histoire[2] » et du pouvoir, quel qu'il soit, d'où qu'il vienne, comme le montrent ses deux pièces les plus politiques, *Rhinocéros* et *Macbett* (1972). Dix ans après avoir décrit une rhinocérisation qui peut renvoyer aussi bien à la Garde de fer roumaine des années 30 qu'au régime communiste de Bucarest des années 50, Ionesco relit le *Macbeth* de

1. Eugène Ionesco, *Antidotes*, Gallimard, 1977, p. 96.
2. *Ibid*, p. 226.

Shakespeare en s'inspirant de l'*Ubu roi* de Jarry, mais aussi des dictatures de Hitler et de Staline. En montrant comment la soif du pouvoir, corrupteur et destructeur par essence, contamine et dérègle le fonctionnement même du langage, l'auteur met son génie de l'absurde au service d'un profond pessimisme politique. À travers la satire de toutes les « langues de bois », il instruit le procès de l'Histoire.

3 Une structure dynamique

« Je respecte les lois fondamentales du théâtre: une idée simple, une progression également simple, et une chute[1] », affirme Ionesco. Comme la plupart des dramaturges du Théâtre de l'absurde, il rompt avec l'intrigue traditionnelle, qui enchaînait exposition, péripéties, « nœud » et dénouement. Il lui substitue l'« idée simple » de progression, dont la construction de *Rhinocéros* offre un exemple caractéristique: les quatre tableaux de la pièce constituent les paliers successifs d'une évolution irréversible.

ACTES ET TABLEAUX

Trois pièces de Ionesco seulement sont divisées en actes: *Amédée ou comment s'en débarrasser* (1956), *Tueur sans gages* (1959), et *Rhinocéros*. Cette composition prend donc une signification particulière, liée à la situation dramatique. Les trois pièces racontent une métamorphose: dans *Amédée*, l'invasion d'un appartement parisien par un cadavre qui ne cesse de grandir, et finit par s'envoler; dans *Tueur sans gages*, la montée progressive de la peur dans une « cité idéale » terrorisée par un tueur; dans *Rhinocéros*, la transformation d'une ville tout entière.

Dans les trois cas, la situation a besoin de temps pour évoluer. La division en trois actes permet de jouer avec la durée, grâce aux ellipses qui séparent chaque acte; elle permet aussi de multiplier et de diversifier les lieux, de passer du dedans au dehors, ou du

1. *Notes et contre-notes*, p.282.

dehors au dedans, donc de mettre en scène à la fois la vie de l'individu et celle de la cité.

Ce n'est sans doute pas par hasard que ces trois pièces sont aussi des adaptations de trois nouvelles publiées en 1962: *Oriflamme, La Photo du colonel* et *Rhinocéros*, toutes trois recueillies dans *La Photo du colonel*. La composition en actes pourrait être un moyen de retrouver, au-delà des contraintes du théâtre, une partie de la liberté propre à la narration romanesque. *Rhinocéros* introduit une complexité supplémentaire, puisque les trois actes comportent quatre tableaux, mettant ainsi en jeu (cas unique dans l'œuvre de Ionesco) quatre espaces et quatre moments différents.

Une chronologie vraisemblable

Au début de *La Cantatrice chauve*, une pendule folle sonne dix-sept fois (Madame Smith en déduit qu'il est neuf heures), puis « aucune fois », ou « autant de fois qu'on veut ». Ionesco affiche d'emblée son refus du « temps des horloges » et de la vraisemblance chronologique; il proclame l'autonomie du temps théâtral par rapport au temps réel.

Dans les pièces suivantes, il continue à jouer avec les heures comme avec les années: le Vieux et la Vieille des *Chaises* évoquent des souvenirs datant de mille ans, et le Bérenger du *Roi se meurt*, âgé de 283 ans, a vécu toute l'histoire de l'humanité. Dans *Rhinocéros* au contraire, le temps semble traité de façon réaliste: les horloges sont toujours là, mais elles se contentent d'indiquer l'heure qu'il est.

Les indications chronologiques sont multiples. L'acte I se déroule un dimanche, peu avant midi; le premier tableau du II, le lendemain matin (Dudard précise: « C'était hier, c'était dimanche. », p. 97, et le journal le confirme); au lever du rideau, l'horloge indique 9h03: elle renvoie au monde du travail et à ses contraintes horaires, les trois minutes supplémentaires représentant le « délai de grâce » accordé aux retardataires. Le deuxième tableau se déroule le même jour, sans doute l'après-midi. L'ellipse qui sépare le deuxième du troisième acte, non précisée, n'excède pas quelques jours : Bérenger est encore sous le coup de l'émotion provoquée par la métamorphose de Jean. Ces quelques jours représentent le temps nécessaire à l'extension du phénomène rhinocérique, et rendent vraisemblable l'ampleur de la métamorphose.

Un espace figuratif

De même, les quatre lieux de l'action paraissent à première vue traités de façon réaliste, voire naturaliste. Les longues didascalies qui ouvrent chaque acte et chaque tableau détaillent les caractéristiques emblématiques d'une petite ville de la province française (sa place, son épicerie, son café, son église), d'un bureau (ses meubles, ses objets, qui renvoient à la fonction du lieu et à la hiérarchie entre les employés), ou d'une chambre (lit, divan, fauteuil, miroir).

Mais le sens de cet espace réside moins dans les caractéristiques de chaque lieu que dans leur relation. Ils se déduisent les uns des autres, et constituent un élément essentiel de l'enchaînement entre actes et tableaux, donc de la construction de la pièce. De la place au bureau et aux deux chambres, on passe de l'extérieur à l'intérieur, et du public au privé. Entre les lieux clos, bureau et chambres, la structure même du dispositif établit un lien : à partir de l'acte II, l'espace est divisé en deux parties inégales, la cage d'escalier d'un côté, le bureau et les chambres de l'autre, ce qui permet de changer de lieu et de situation sans rupture.

DEUX MOUVEMENTS INVERSES

La plupart des pièces de la « première manière » de Ionesco sont construites selon le même principe : celui d'une dynamique qui combine deux mouvements inverses, l'un ascendant, l'autre descendant. Progression et diminution, prolifération et raréfaction, accélération et ralentissement, ou, pour se référer au langage musical, particulièrement adapté à la dramaturgie de Ionesco, « crescendo » et « decrescendo ». Ces mouvements peuvent se succéder, comme dans *Les Chaises*, où le rythme et l'intensité ne cessent de croître pendant l'entrée des chaises, pour décroître une fois que le plateau est envahi. Ils peuvent aussi être simultanés, comme dans *La Leçon*, où l'énergie de l'Élève s'épuise au fur et à mesure que celle du Professeur se multiplie.

Rhinocéros conjugue à nouveau les deux mouvements, pour les faire converger vers le même dénouement. La diminution de l'espace et du nombre des personnages correspond à la prolifération des rhinocéros et à l'accélération progressive du temps.

Un espace en diminution

D'un tableau à l'autre, l'espace se rétrécit progressivement : on passe de la ville au bureau, du bureau aux deux chambres. Les dix-sept personnages de l'acte I se réduisent à six, puis à quatre, trois, deux et un seul. Ce resserrement contraste avec l'amplification de l'épidémie : la place de l'homme est symboliquement de plus en plus réduite, et inversement proportionnelle à celle des animaux

Ce mouvement est amplifié par l'importance croissante dans la pièce de ce qu'on appelle le « hors-scène » : l'espace fictif censé entourer le plateau. Cet espace invisible est suggéré à la fois par la structure du dispositif (une porte invite à imaginer une autre pièce, une fenêtre à imaginer une rue, un escalier à imaginer un rez-de-chaussée...), par les commentaires des personnages, par les bruitages et par la lumière.

Le hors-scène joue un rôle restreint à l'acte I. En lisière de la place, aux frontières de la cité, il est le lieu du passage du ou des rhinocéros, qu'on entend sans les voir, et qui sont décrits par le « chœur ». Au premier tableau de l'acte II, son domaine s'étend : il est devenu l'espace de la ville, la rue, le rez-de-chaussée du bureau, que nous reconstituons à travers les réactions des personnages affolés. Au deuxième tableau, un nouveau hors-scène, celui de la salle de bains de Jean, rapproche encore le danger. À l'acte III, la pression du dehors est de plus en plus forte, de plus en plus présente, jusqu'à faire irruption sur la scène elle-même.

La pièce joue donc constamment sur les marges du plateau, c'est-à-dire sur la menace que représente le monde extérieur. À l'acte I, les deux animaux qui passent « en coulisses » restent un spectacle, même si le nuage de poussière marque une première intrusion du hors-scène sur la scène. Au premier tableau de l'acte II, le danger vient du rez-de-chaussée, donc de l'intérieur même de la maison, tandis que la rue censée passer derrière le mur du fond offre encore une échappatoire : c'est par là qu'interviennent les pompiers et que les employés peuvent s'enfuir.

Au tableau suivant, le dispositif suggère encore plus nettement l'encerclement : la chambre de Jean est littéralement cernée. Côté cour, les voisins, d'abord méfiants, puis menaçants ; côté jardin, la salle de bains, espace de plus en plus inquiétant au fur et à mesure que progresse la métamorphose de Jean, et qui finit par devenir la prison du nouveau rhinocéros ; au lointain, la rue, déjà occupée par les monstres ; et à l'avant-scène, la fosse d'orchestre où défilent des cornes de rhinocéros. Cet effet de théâtre introduit un nouveau jeu sur la frontière entre scène et salle. Le piège se resserre : les animaux sont dans la rue et dans la fosse, donc peut-être dans la salle et dans le public ; ils sont dans l'escalier et dans la salle de bains dont la porte est sur le point de céder. Il faut que le mur du fond s'effondre pour que Bérenger réussisse à s'enfuir.

À l'acte III, la frontière est définitivement transgressée : le dehors envahit le dedans lorsque les têtes de rhinocéros viennent crever le mur du fond, séduire Daisy et narguer Bérenger jusque dans son refuge. Cette fois, n'y a plus d'issue possible, plus de recours que dans un ultime et inutile sursaut de révolte.

Un temps progressivement accéléré

Ionesco utilise dans son théâtre deux structures temporelles radicalement différentes. Il joue sur la circularité dans des pièces comme *La Cantatrice chauve* (les Smith échangent leur rôle avec les Martin au dénouement, et la pièce semble sur le point de recommencer) ou *La Leçon* (après la mort de l'Élève, une autre élève sonne à la porte, comme si la leçon allait se dérouler à nouveau), dans lesquelles il veut suggérer un mouvement perpétuel, un éternel recommencement. Il joue sur la linéarité quand il veut au contraire montrer l'irréversibilité de la durée, son caractère implacable : c'est le cas du *Roi se meurt*, marche inéluctable du roi vers la mort, scandée par le compte à rebours des minutes qui le séparent de la fin de son agonie, et nous séparent de la fin de la représentation. Et c'est le cas de *Rhinocéros*.

Cette linéarité est liée à la structure de la pièce, à la fois « policière » et tragique. L'histoire se présente comme celle d'une enquête. L'énigme à résoudre paraît d'abord anodine, ou anecdotique (d'où peut sortir ce rhinocéros ?) ; son enjeu s'aggrave aussitôt (d'où peuvent venir deux rhinocéros ?). Le troisième rhinocéros déplace la question : les indices multipliés de son humanité conduisent à la scène de reconnaissance de Monsieur Bœuf par Madame Bœuf. La vérité se fait jour peu à peu : les rhinocéros pourraient être des hommes, hypothèse que confirme aussitôt le tableau suivant, la métamorphose à vue de Jean, qui annonce sans équivoque l'apocalypse finale.

Les étapes de la prise de conscience de la vérité déclenchent une accélération progressive de la durée dramatique. Le temps paresseux, presque statique, du dimanche matin (acte I) se précipite au passage des deux rhinocéros. Après un retour au calme, la scène de reconnaissance de l'acte II, inséparable de la catastrophe (l'effondrement de l'escalier), provoque un nouveau changement de rythme. Rien n'arrêtera plus ce mouvement. Tout le deuxième tableau est dynamisé par la transformation de plus en plus rapide de Jean, qui aboutit à une nouvelle prolifération des rhinocéros. À l'acte III, le résumé de la vie amoureuse de Bérenger et Daisy, qui s'aiment, se fatiguent l'un de l'autre et se quittent en quelques minutes, marque un nouveau palier.

Dans la nouvelle qui constitue la première version de *Rhinocéros*, leur séparation est lente et progressive, étalée sur des semaines. Le défilé de leur histoire à vitesse accélérée établit une correspondance entre le temps du dehors (le temps de l'épidémie : le temps de l'Histoire), et le temps intérieur des personnages.

RÉPÉTITION ET VARIATION

Chez tous les auteurs du Théâtre de l'absurde, les jeux de reflets ou d'échos jouent un rôle essentiel. La structure d'*En attendant Godot* repose sur la répétition de deux actes « en miroir ». Ionesco multiplie ces jeux dans *Rhinocéros*, où ils deviennent le principe même de la construction dramatique.

À l'échelle de la pièce entière, le dénouement propose une image inversée du début, créant un vaste effet de symétrie et d'antithèse. Au scandale initial de l'irruption du rhinocéros (animal réputé solitaire) dans la communauté des hommes répond le scandale final de la solitude de l'homme, dernier représentant de son espèce face à une population de rhinocéros. D'une extrémité à l'autre de la pièce, la monstruosité a changé de camp.

Tout l'acte I est construit sur le principe du redoublement : se succèdent deux rhinocéros, deux dialogues et deux débats collectifs. Si au début de l'acte la répétition produit principalement des effets comiques (la maladresse de Jean qui reproduit à quelques minutes d'intervalle celle de Bérenger ridiculise le personnage du moralisateur), sa signification devient peu à peu dramatique. Le second passage de rhinocéros assombrit en effet le climat de la scène ; le second dialogue entre Jean et Bérenger détériore les relations entre les deux amis ; et la seconde scène de débat public débouche sur une confusion générale. Au théâtre, la répétition produit toujours une altération, qui fonctionne ici dans le sens d'une aggravation.

On retrouve ce jeu de la répétition et de la variation d'un acte à l'autre. Entre l'acte I et le deuxième tableau de l'acte II, le rapport entre Jean et Bérenger s'est inversé. Ils ont échangé leurs rôles: Jean décoiffé, en pyjama, indifférent ou hostile au monde extérieur, a pris la place du Bérenger asocial du début de la pièce; c'est lui qui incarne désormais le stéréotype du marginal, tandis que Bérenger le raisonne au nom de la normalité. De même, les termes du débat qui les opposait à l'acte I s'inversent: Jean renie la culture et la morale pour défendre la cause de la nature, tandis que Bérenger devient le porte-parole de l'humanisme. Ici aussi, la répétition pourrait produire un effet comique classique (la situation de l'« arroseur arrosé »), mais la dimension tragique prend aussitôt le dessus.

La répétition joue un rôle encore plus déterminant dans le rapport entre le second tableau de l'acte II et l'acte III. De même que les deux chambres de Jean et Bérenger se ressemblent à quelques détails près, leurs situations paraissent se superposer. Au début de l'acte III, les analogies entre le Jean de l'acte II et Bérenger se multiplient (même posture, même costume, mêmes symptômes). Le parallélisme se renforce avec la visite de Dudard, qui joue le rôle que jouait Bérenger chez Jean au tableau précédent. La répétition devient un élément de la structure policière de la pièce: les indices physiques et moraux qui indiquaient avec de plus en plus de certitude la rhinocérisation de Jean se retrouvent chez Bérenger. Mais cette fois la répétition, au lieu d'accélérer le mouvement tragique, le suspend ou le ralentit. La résistance de Bérenger à la maladie peut apparaître comme un signe d'espoir, qui entretient un suspens sur l'issue de la pièce. Le « tragique » (la marche inexorable vers un dénouement fatal) laisse donc ici — mais pour peu de temps — la place au « dramatique » (qui ménage une hésitation, laisse planer une incertitude sur la suite des événements).

4 Des personnages-archétypes

Chez les écrivains du « nouveau roman » comme chez les dramaturges de l'« absurde », la critique de l'anecdote et de l'intrigue implique celle du personnage et de la psychologie. Nathalie Sarraute affirme dans *L'Ère du soupçon* que le personnage du roman moderne a perdu tous ses attributs traditionnels, ses ancêtres, ses biens, sa profession, « et surtout, ce bien précieux entre tous, son caractère qui n'appartenait qu'à lui, et souvent jusqu'à son nom[1]. » Cette définition conviendrait parfaitement aux personnages de Beckett ou de Ionesco. Les « nouveaux romanciers » se proposent de « dépersonnaliser le personnage », selon la formule de Roland Barthes. Les « nouveaux dramaturges » entreprennent, comme l'écrit Robert Abirached, d'« amener le personnage au degré zéro de la personnalité[2] ».

Ici aussi, on peut relever une évolution nette entre le « premier Ionesco » et celui du cycle Bérenger : les personnages de *La Cantatrice chauve* ou des *Chaises* sont des marionnettes interchangeables, sans épaisseur ni vraisemblance psychologique. Si l'on retrouve des pantins parmi les personnages secondaires de *Rhinocéros*, les protagonistes de la pièce sont dotés d'un « caractère », que l'on pourrait à la rigueur définir en termes de psychologie traditionnelle. Mais la trajectoire de chacun de ces personnages et la progression inéluctable de la métamorphose impliquent un dépassement de la psychologie vers la métaphysique.

1. Nathalie Sarraute, *L'Ère du soupçon*, coll. « Folios Essais », 1987, p. 61.
2. Robert Abirached, *La Crise du personnage dans le théâtre moderne*, Gallimard, 1994, p. 393.

Les noms

Dans les premières pièces de Ionesco, les personnages sont désignés soit par des noms passe-partout (les Smith, les Martin), soit par l'âge (le Vieux, la Vieille), soit par des fonctions (le Professeur, l'Élève). Ce jeu sur la dénomination se retrouve, à un degré moindre, dans *Rhinocéros*.

La plupart des personnages secondaires ne portent pas de nom (la Ménagère, l'Épicière et l'Épicier, le Patron et la Serveuse, le Vieux Monsieur et le Logicien). Cet anonymat les réduit à une fonction qui les résume et conformément à laquelle ils réagissent aux événements. L'Épicier pense à ses bénéfices, le Patron à ses verres cassés, le Logicien à ses syllogismes: ce sont des stéréotypes. Ils représentent un abrégé de la société: jeunes et vieux, hommes et femmes, commerçants et fonctionnaires, patrons et employés, intellectuel et ménagère. Ils sont traités moins comme des individus que comme un chœur. La répétition mécanique de répliques courtes et insignifiantes, qui évoquent la *vox populi*, ou ce que Roland Barthes appelle la « doxa », c'est-à-dire l'expression du bon sens, du sens commun, produit un effet d'automatisation et de désindividualisation qui peut annoncer la déshumanisation à venir.

Les noms fantaisistes (Monsieur Papillon, Madame Bœuf) désignent leurs titulaires comme des caricatures: l'un joue sur l'antiphrase (le lugubre « chef de service » n'a rien à voir avec la vie bucolique qu'évoque le papillon), l'autre a valeur d'indice (le couple Bœuf était prédestiné à la rhinocérisation). Les noms de Botard et Dudard sont plus vraisemblables, mais la rime, qui attire l'attention sur le suffixe péjoratif, tend à les rapprocher, malgré leur antagonisme ou à cause de lui.

Daisy et Jean sont désignés par leur prénom, ce qui renvoie au point de vue de Bérenger, à sa relation avec les deux êtres qui lui sont le plus proches, la femme qu'il aime et son « meilleur ami ».

Le prénom de Jean donne lieu à un jeu de mots récurrent: au premier tableau de l'acte II, Bérenger mis en cause par Botard se défend en invoquant son ami: « J'étais à côté de mon ami Jean!... Il y avait d'autres gens » (p. 103), réplique que Botard feint de ne pas comprendre, pour discréditer son interlocuteur (« Vous bafouillez, ma parole », p. 103). Au tableau suivant, Bérenger venu rendre visite à son ami se trompe de palier et tombe sur le voisin, Monsieur Jean.

Les « Jean », « les gens »: ce jeu de mots annonce la rhinocérisation d'un personnage presque anonyme, puisqu'il porte le nom de tout le monde; mais il est également caractéristique du traitement du personnage chez Ionesco. L'interchangeabilité des « Jean » rappelle cette famille évoquée dans *La Cantatrice chauve*, dont tous les membres, pères et fils, oncles et neveux, hommes et femmes, portent le même nom, « Bobby Watson », ce qui empêche de les distinguer.

Bérenger fait donc figure d'exception: il est le seul à être identifié et individualisé par son nom. Ce nom prend d'autant plus d'importance qu'il reparaît dans les quatre pièces du cycle Bérenger, pour désigner des personnages apparemment différents par leur condition, leur statut, leur époque, leur nationalité (si les deux premiers sont des citoyens ordinaires, le troisième est le roi agonisant d'un royaume en voie de disparition, et le dernier un auteur dramatique célèbre...), mais entre lesquels Ionesco nous invite à chercher une ressemblance plus profonde.

Les costumes

Les costumes contribuent à stéréotyper et à schématiser les personnages. De même que dans *La Leçon*, le Professeur et l'Élève portaient les uniformes de leur rôle, les personnages de *Rhinocéros* sont définis par leurs costumes, très précisément décrits dans les didascalies.

Celui que porte Jean à l'acte I, « costume marron, cravate rouge, faux col amidonné, chapeau marron [...] souliers jaunes » (p. 14) donne l'image de la rigueur (la cravate, le faux col), tout en trahissant un goût douteux (mélange de couleurs harmonisées, mais voyantes) ; ce qui peut attirer l'attention sur les failles du personnage (la contradiction entre tenue stricte et tenue ostentatoire ou prétentieuse).

Au premier tableau de l'acte II, les costumes des employés du bureau renvoient aux situations sociales, et plus précisément à la hiérarchie professionnelle : « complet bleu marine, rosette de la Légion d'honneur, faux col amidonné, cravate noire » (p. 92). Ces attributs ne peuvent définir que le chef de service et rendent d'autant plus dérisoire le nom champêtre de « Papillon ». Un cran au-dessous, le « complet gris » (p. 92) de Dudard, cadre, et futur chef ; encore plus bas, Botard porte un « béret basque » et une « blouse grise » (p. 93), image stéréotypée qui dit à la fois son rôle modeste dans le bureau, son statut de « Français moyen » et son passé d'instituteur.

Au tableau suivant, le « pyjama vert » (p. 139) de Jean fonctionne comme un premier indice de rhinocérisation. Il ne désigne plus seulement le goût personnel de Jean pour les tons voyants, mais la couleur de la peau des rhinocéros, et peut-être aussi celle des uniformes allemands (le « vert-de-gris »).

De la couleur du pyjama, on passe à celle du teint : « verdâtre » (p. 146), « Vous êtes de plus en plus vert » (p.153). Au fur et à mesure que Jean se déshabille, son costume se réduit au maquillage et au masque. Il retourne à l'état sauvage, donc à la nudité. Le nouveau costume, le costume à la mode, celui du rhinocéros, est en train de devenir « uniforme », dans tous les sens du mot.

UN SYSTÈME DE COUPLES

Les personnages de *Rhinocéros* sont moins définis par leurs caractéristiques individuelles que par leurs relations mutuelles : ils se répartissent en couples antagonistes, dont les affrontements rythment toute la pièce.

Chaque acte est ainsi construit autour d'un ou de plusieurs duos ou duels : Jean-Bérenger à l'acte I, Botard-Dudard à l'acte II (premier tableau), puis Bérenger-Jean (deuxième tableau), Bérenger-Dudard, puis Bérenger-Daisy à l 'acte III.

Bérenger se situe donc au centre du système, et c'est sa double confrontation, avec Jean puis avec Dudard, qui permet de le caractériser *a contrario*. La psychorigidité de Jean met en lumière son indolence, son laisser-aller, son indifférence au monde et aux événements; le détachement de Dudard fait à l'inverse ressortir sa sensibilité, son émotivité, son intérêt pour les autres, sa solidarité envers eux.

DES TRAJECTOIRES SYMBOLIQUES

Mais les conflits sont moins psychologiques qu'idéologiques, philosophiques ou politiques. Au-delà de leurs rapports individuels, de leurs oppositions de caractères, les protagonistes de la pièce ont tous une dimension symbolique, qui se dévoile peu à peu. Elle se lit dans leur parcours, à travers leur modification progressive. Chacun n'atteint sa vérité qu'au terme de cette trajectoire révélatrice.

Jean et Botard : les figures du dogmatisme

Jean, le raisonneur qui ne supporte pas d'être contredit, le moralisateur qui n'accepte pas d'avoir tort, passe de la défense apparemment banale de l'hygiène de vie, de la santé physique et morale, à un éloge de la force pour la force et à un panégyrique de l'« homme supérieur »; il ne lui reste qu'un pas à franchir pour prendre le parti de la « nature », qui le mène (tout « naturellement ») à la rhinocérisation. Son cas illustre les dangers du conformisme, qui conduit à glisser insensiblement de la leçon à la condamnation, de la remontrance à l'intransigeance et à l'intolérance, de la normalité à la normalisation.

Botard incarne un autre type de dogmatisme, qui se situe politiquement aux antipodes de celui de Jean, mais dont le mécanisme est le même. Botard fait d'abord penser à une figure historique traditionnelle: celle de l'instituteur de la Troisième République, rationaliste et anticlérical, luttant contre toutes les superstitions, qui pourrait se réclamer des philosophes du XVIIIe siècle. Mais en quelques minutes, le « clerc » républicain se transforme en militant, en syndicaliste borné, puis en un dangereux fanatique qui réveille les fantômes de la « guerre froide » et du stalinisme. Dans un troisième temps, les allusions répétées à la « propagande », aux agents de l'étranger, et à un mystérieux complot universel en font un véritable paranoïaque, ce qui le destine de toute évidence à la rhinocérisation. Son exemple offre donc un contrepoint à celui de Jean : les deux personnages, à leur échelle médiocre, reflètent les deux grands totalitarismes du XXe siècle, le fascisme et le communisme, que Ionesco met sur le même plan et attaque avec une égale virulence.

Le « cas » Dudard : l'échec du libéralisme

Dudard se situe à l'exact opposé à la fois de Jean et de Botard. Refusant les certitudes, les dogmes, les vérités toutes faites, il incarne la figure de l'intellectuel éclairé qui pourrait (plus justement que Botard) évoquer l'esprit du siècle des Lumières. Son affrontement avec Botard le fait apparaître d'emblée comme un personnage positif. Face au fanatisme, il représente la raison, la mesure, la modération ; face au dogmatisme, l'esprit critique ; face à l'entêtement borné, l'intelligence, l'ouverture et la culture.

Confronté au dernier acte à Bérenger et Daisy, le personnage apparaît d'abord conforme à cette image de pondération et de libéralisme (permanence qui, dans le contexte de transformation générale, semble particulièrement rassurante) ; il tente d'expliquer rationnellement la métamorphose de Jean, puis de raisonner et de calmer Bérenger. Certains indices pourraient pourtant inquiéter le lecteur, désormais légitimement méfiant. Dudard laisse percer quelques manifestations de jalousie à l'égard du couple Daisy-Bérenger, qui contrastent avec le détachement qu'il affiche ; surtout, il épouse tour à tour les positions des deux personnages qui semblaient les plus éloignés de lui, Jean et le Logicien.

Aussitôt après avoir dévoilé la vraie nature de Jean (« un excité, un peu sauvage, un excentrique », p.177), donc un original ou un marginal – ce qui rejoint le sentiment du lecteur –, Dudard tient un discours très proche du sien. Comme lui, il fait l'éloge de la « volonté » et critique le penchant de Bérenger pour l'alcool. Mais il échappe à cette identification avec Jean en dédramatisant la situation par l'humour : « Je plaisantais, Bérenger, voyons. Je vous taquinais. Vous voyez tout en noir, vous allez devenir neurasthénique, attention. » (p.182).

La discussion philosophique qui suit invite à un rapprochement encore plus inattendu. Comme Bérenger s'embrouille dans une citation de Galilée et un débat sur la théorie et la pratique (« Et les rhinocéros, c'est de la pratique, ou de la théorie ? », p. 197), Dudard réplique à la manière du « Logicien professionnel » (« L'un et l'autre », p. 197, « L'un et l'autre ou l'un ou l'autre. C'est à débattre », p. 197). Dudard représente certes l'intellectuel raffiné, cultivé, philosophe, dont le Logicien serait la caricature. Mais Ionesco, en établissant ce parallèle, manifeste sa méfiance à l'égard des intellectuels en général, et montre leur impuissance. Dudard, qui ne veut exclure aucun point de vue, qui prétend comprendre et non juger, en vient, par une sorte de laxisme intellectuel, à rejoindre le parti du plus fort. Sa métamorphose est sans doute la plus frappante, parce que la moins prévisible.

Celle de Daisy est plus ordinaire et plus attendue, comme le personnage lui-même, qui relève de la convention. Apparition muette à l'acte I (la blonde platinée), stéréotype à l'acte II (la secrétaire « draguée » par tous ses collègues), Daisy incarne à l'acte III tous les archétypes féminins. Tour à tour épouse, sœur et mère, amante et ménagère, puis mégère, elle quitte sans surprise le « foyer conjugal » pour se rallier à une normalité qui a changé de camp.

Bérenger décrit donc une trajectoire inverse de celle des autres personnages, puisqu'elle le conduit de la passivité à la révolte, sinon à la « résistance ». D'abord apathique, et comme étranger au monde qui l'entoure, ensuite complexé et culpabilisé face à l'amour, à l'amitié, au travail, il se transforme à partir de sa visite chez Jean : il s'affirme peu à peu, contre Jean, Dudard, Daisy, comme s'il devenait lui-même au fur et à mesure que les autres l'abandonnent.

Mais cette trajectoire n'est pas rectiligne, et donc pas « rhinocérique ». Bérenger ne cesse de retomber dans ses doutes, dans ses peurs, dans l'alcool. Son monologue final traduit la persistance de ses angoisses, de ses hésitations, de son impuissance, qui sont justement le signe de son humanité.

Il est à la fois le moins symbolique et le plus vivant de tous les personnages de la pièce. Il ressemble à Ionesco, à ce que nous savons de lui à travers sa biographie et ses nombreux textes autobiographiques. Le mal d'exister, le sentiment de culpabilité, l'esprit d'enfance, la faculté d'étonnement, l'individualisme : ces caractéristiques font l'unité profonde de ce personnage récurrent, de *Tueur sans gages* au *Piéton de l'air*. Bérenger apparaît non comme le porte-parole mais comme le double de Ionesco, confronté d'une pièce à l'autre à son angoisse fondamentale : celle de la mort.

Au-delà des différences individuelles, de la diversité des caractères, des conditions sociales et des options philosophiques et politiques, c'est cette conscience de la finitude, c'est-à-dire de la condition humaine, qui domine la pièce. « Il y a le refus de la psychologie, et par conséquent le désir, que ce soit par l'imaginaire ou que ce soit par la brutalité réelle, de s'adresser à nos vraies forces profondes[1] », écrit Sartre à propos du Théâtre de l'absurde.

1. Sartre, *Un théâtre de situations*, p. 207

On pourrait rapprocher cette analyse d'une note de Ionesco : « Éviter la psychologie, ou plutôt lui donner une dimension métaphysique. Le théâtre est dans l'exagération extrême des sentiments, exagération qui disloque la plate réalité quotidienne[1] ». *Rhinocéros* illustre exemplairement ce dépassement de la psychologie par la métaphysique.

---

1. *Notes et contre-notes*, p. 60.

5 Les ambiguïtés du langage

C'est sans doute dans *Rhinocéros* que Ionesco entretient avec le langage le rapport le plus paradoxal. La pièce oscille entre deux pôles : la méfiance de l'auteur à l'égard de la parole, qui se manifestait dans ses premières pièces de façon purement ludique, persiste ici. On retrouve dans *Rhinocéros* la critique virulente des lieux communs de la conversation, et la dénonciation féroce de toutes les « langues de bois ». Mais on y voit apparaître en même temps un phénomène nouveau chez Ionesco : l'esquisse d'une réhabilitation du langage, qui pourrait rester le dernier refuge de l'homme face à la montée de la barbarie.

LA PAROLE ABSURDE : LES JEUX SUR LES MOTS

Ionesco n'a donc pas renoncé à la veine de *La Cantatrice chauve*. Il multiplie les jeux phonétiques et sémantiques, écholalie[1], psittacisme[2], cacophonie[3], logorrhée[4]. Il exploite toutes les ressources de la rime (« rhinocéros »/« féroce »), de l'homonymie (« Jean »/« les gens »), de la paronymie (« solidaire »/« solitaire ») et de la synonymie, en variant significativement l'appellation des rhinocéros : « animaux », « quadrupèdes », « pachydermes », « périssodactyles », « monstres »...

1. *Écholalie* : reprise mécanique des propos de l'interlocuteur.
2. *Psittacisme* : répétition de répliques ou d'onomatopées.
3. *Cacophonie* : rencontre de sons dissonants, ou assemblage confus de voix.
4. *Logorrhée* : flux incontrôlé de paroles inutiles.

Il continue à jouer, comme dans ses premières pièces, sur le détournement ou la contamination des expressions toutes faites. Il emploie un mot pour un autre : les chats remplacent les moutons (« Revenons à nos chats. », p. 47 ; « le chat à cinq pattes », p. 54), ou les chiens (« la rubrique des chats écrasés », p. 94). Il télescope les clichés : « C'était peut-être simplement une puce écrasée par une souris. On en fait une montagne » (p. 96) détourne l'expression « la montagne qui accouche d'une souris ».

Ionesco joue surtout systématiquement sur les doubles sens, et sur la confusion du propre et du figuré, comme l'illustre ce malentendu entre Jean et Bérenger, qui suffit à dérégler la suite de la conversation :

> JEAN
> Vous rêvez debout !
> BÉRENGER
> Je suis assis.
> JEAN
> Assis ou debout, c'est la même chose.
> BÉRENGER
> Il y a tout de même une différence.
> JEAN
> Il ne s'agit pas de cela.
> BÉRENGER
> C'est vous qui venez de dire que c'est la même chose, d'être assis ou debout…
> JEAN
> Vous avez mal compris. Assis ou debout, c'est la même chose, quand on rêve !….
> BÉRENGER
> Eh oui, je rêve… La vie est un rêve (p.34-35).

Bérenger prend ici, par naïveté ou par distraction, une expression figurée au pied de la lettre. Jean l'interprète comme une moquerie :

> JEAN
> Vos mots d'esprit ne valent rien !
> […]
> JEAN, *l'interrompant.*
> Je déteste qu'on se paie ma tête ! (p.37).

Ce qui fait rebondir le malentendu :

BÉRENGER
Vraiment, vous êtes têtu. (p. 38).

À nouveau, Bérenger joue involontairement sur les mots (« tête »/« têtu »), redoublant la colère de Jean.

Mais au fur et à mesure que le climat de la pièce s'assombrit, les calembours, les glissements de sens et les malentendus cessent d'être gratuits. À partir du second tableau de l'acte II, ils deviennent révélateurs de la situation : le jeu sur les mots « têtu » ou « entêté » débouche sur un « Perdez-vous la tête ? » (p.161) qui n'a rien d'anodin, puisque Jean est en train d'échanger son visage contre une tête de rhinocéros. Lorsque Bérenger parle de « [...] ces deux malheureux rhinocéros que nous avons aperçus » (p. 140), voulant par là minimiser le phénomène, insignifiant par rapport au prix de leur amitié, c'est au tour de Jean de prendre l'expression au pied de la lettre :

JEAN
[...] Qui vous a dit que ces deux rhinocéros étaient malheureux ?
BÉRENGER
C'est une façon de parler (p. 140).

Le décalage se répète et s'amplifie :

BÉRENGER
Si je comprends, vous voulez remplacer la loi morale par la loi de la jungle !
JEAN
J'y vivrai, j'y vivrai.
BÉRENGER
Cela se dit. Mais dans le fond, personne... (p.159).

Le malentendu fonctionne désormais dans l'autre sens : c'est Bérenger qui use du figuré (la « loi de la jungle » désignant métaphoriquement la loi du plus fort), et Jean qui prend le mot au premier degré (la jungle dans laquelle le futur rhinocéros rêve d'évoluer). Les rôles sont symboliquement inversés. L'homme en cours d'animalisation perd progressivement le sens des subtilités et des ambiguïtés du langage ; et c'est paradoxalement Bérenger, l'antiintellectuel, qui, face à son ami, manipule ici la métaphore et l'abstraction, signes de la persistance de son humanité.

LA PAROLE VIDE : DES « CONTROVERSES STÉRILES »

La pièce est rythmée par une série de débats théoriques ou académiques, de disputes et de controverses. À l'acte I, la discussion générale porte sur l'origine et la nature des rhinocéros, d'Asie ou d'Afrique, unicornus ou bicornus (p. 67-87). Au premier tableau de l'acte II, les employés du bureau débattent sur l'information, la propagande, la politique et la religion (p. 94-106); au tableau suivant, Jean et Bérenger s'affrontent sur la nature et la morale (p.159-163). À l'acte III, Dudard et Bérenger philosophent sur la théorie et la pratique (p. 196-200).

D'un acte à l'autre, ces débats se resserrent et se précisent. Ils impliquent d'abord la cité tout entière, puis une petite communauté sociale, enfin des individus; et ils portent sur des questions de plus en plus « pointues ». Mais ils présentent un point commun: ils tournent à vide, et sombrent chaque fois dans la confusion et le désordre.

La parole polémique

La querelle d'école de l'acte I sur le nombre de cornes des rhinocéros, en relation avec leur origine, est évidemment absurde. C'est d'ailleurs le Logicien qui « logiquement » la conclut, en l'embrouillant définitivement. Au raisonnement sur le nombre de pattes du chat (« On enlève six pattes aux deux chats, combien de pattes restera-t-il à chaque chat? », p. 51) répond le calcul sur les cornes de rhinocéros (« il se peut que depuis tout à l'heure le rhinocéros ait perdu l'une de ses cornes, et que celui de tout de suite soit celui de tout à l'heure », p. 83).

Au premier tableau de l'acte II, la discussion des collègues de bureau sur les problèmes du moment évoque plutôt les débats du

« café du Commerce » : une conversation à bâtons rompus sur les questions d'actualité, donc une prolifération de clichés, de vérités du « sens commun » ou du « bon sens ». Les considérations générales sur les mots en « isme » (journalisme, racisme, cléricalisme, syndicalisme), qui trahissent en fait les rancœurs et les frustrations de chacun, partent dans toutes les directions, et pourraient se prolonger à l'infini. Le chef de service y met autoritairement un terme : « Permettez-moi de couper court à cette polémique stérile... » (p. 106).

Les débats philosophiques

Le débat qui, au second tableau, oppose Jean et Bérenger sur la « nature » et la « morale » repose sur des références philosophiques plus précises : il s'inspire lointainement de Nietzsche[1], et plus directement, de l'idéologie de la droite française de l'avant-guerre (l'« enracinement », le retour aux valeurs terriennes et provinciales). Le débat s'interrompt de lui-même — faute d'interlocuteur — avec la métamorphose de Jean en rhinocéros.

L'échange de l'acte III entre Dudard et Bérenger relance la question laissée en suspens par la rhinocérisation de Jean. L'« intellectuel » Dudard rejoint contre toute attente les positions de Jean sur le « naturel » :

> DUDARD
> [...] Je me dis aussi qu'il n'y a pas de vices véritables dans ce qui est naturel. Malheur à celui qui voit le vice partout. C'est le propre des inquisiteurs.
> BÉRENGER
> Vous trouvez, vous, que c'est naturel ?
> DUDARD
> Quoi de plus naturel qu'un rhinocéros ?
> BÉRENGER
> Oui, mais un homme qui devient rhinocéros, c'est indiscutablement anormal (p. 195).

1. Voir Nietzsche, *Au-delà du bien et du mal*, 1886 ; Hachette, 1987.

Bérenger soulève ici la question essentielle, qui constitue l'enjeu central de ce dernier acte, celle du normal et de l'anormal. Dudard lance le débat, sur le ton du défi :

> Vous me semblez bien sûr de vous. Peut-on savoir où s'arrête le normal, où commence l'anormal ? Vous pouvez définir ces notions, vous, normalité, anormalité ? [...] (p. 195).

Mais Bérenger s'égare dans des considérations sur la théorie et la pratique, invoque imprudemment Galilée, et s'embrouille dans sa citation. Le débat, une fois de plus, tourne court.

Ces débats philosophiques ou pseudo-philosophiques n'aboutissent donc jamais. Ils mettent en lumière l'échec de la pensée dialectique, présentée comme stérile, purement formelle, et impuissante. Ils contribuent à isoler Bérenger, mis en difficulté chaque fois qu'il s'agit de manier et d'articuler des concepts. Mais en dépit de cette maladresse, ou peut-être à cause d'elle, c'est lui le vrai « philosophe » de la pièce, au sens ionesquien du mot : celui qui ne cesse de s'étonner devant le monde et l'existence.

LA PAROLE DANGEREUSE : LES SLOGANS

De la critique du vide de la parole à la dénonciation de ses dangers, il n'y a qu'un pas chez Ionesco. *La Leçon* mettait en pièces le discours d'autorité du Professeur, la parole doctorale ou dogmatique ; de même, tous les « professeurs » de *Rhinocéros* sont ridiculisés tour à tour. À l'acte I, la leçon de philosophie absurde donnée par un « Logicien professionnel » incapable de manier le syllogisme se discrédite d'elle-même. Elle discrédite par ricochet la leçon de morale assénée parallèlement par Jean à Bérenger. La répétition mécanique d'une formule unique (« j'ai de la force » est repris sept fois, p. 44-45), l'usage de la tautologie (« j'ai de la force parce que j'ai de la force », p. 44) et l'abus d'une rhétorique qui tourne à vide mettent Jean sur le même plan que le Logicien.

À l'acte II, Botard franchit un degré supplémentaire dans l'usage de la « langue de bois » : sa parole militante se réduit à une série de clichés qui trahissent une idéologie de plus en plus inquiétante. L'instituteur syndicaliste, anticlérical et hostile aux « élites », se transforme peu à peu en stalinien paranoïaque. Parti d'une position empirique (« je ne crois que ce que je vois, de mes propres yeux ») et scientiste (« j'aime la chose précise, scientifiquement prouvée », p. 94), donc hostile à tout dogmatisme, il devient progressivement l'incarnation du doctrinaire. Sa parole, figée en slogan, n'est plus qu'un instrument d'endoctrinement ou de propagande.

À l'acte III, Dudard donne un exemple plus subtil du pouvoir de manipulation des mots. Lui aussi se réclame, derrière les apparences du libéralisme et de la tolérance, d'un discours d'autorité. Il reprend le discours empirique de Botard (« Je constate les faits, je les enregistre », p. 176), pour l'articuler à un discours médical, qui prétend rendre compte rationnellement du phénomène rhinocérique (« Il reste l'hypothèse de l'épidémie. C'est comme la grippe. Ça s'est déjà vu des épidémies », p. 178). Sa rhétorique, d'autant plus dangereuse qu'elle est élaborée, ne fait que masquer la réalité. La forme de son discours, argumenté, nuancé, équilibré et distancié, multipliant modalisations (« dans le fond », « jusqu'à un certain point », « cependant », p.183), puis dénégations (« Je ne dis certainement pas que c'est un bien. Et ne croyez pas que je prenne parti à fond pour les rhinocéros... », p.185) contraste de plus en plus évidemment avec le sens de son propos: l'acceptation progressive de la monstruosité.

Entre le Logicien et Dudard, que tout semble opposer, il y a donc un lien: tous deux donnent l'exemple de la faillite d'une parole décalée par rapport à la réalité. Ce décalage peut produire des effets très différents. Dans la première moitié de la pièce, il constitue l'une des sources principales du comique. À l'acte I, les arguties intellectuelles du Logicien qui complique inutilement une question elle-même inutile (le nombre de cornes du rhinocéros) sont d'autant plus dérisoires qu'elles contrastent avec la situation: le danger, bien réel, qui menace la ville. À la fin du premier tableau de l'acte II, alors que ce danger se précise (Monsieur Bœuf vient de se transformer en rhinocéros), Botard brandit les conventions syndicales (« En tout cas, soyez certain que je dirai tout à mon comité d'action. Je n'abandonnerai pas un collègue dans le besoin », p. 120) ; Dudard invoque les procédures judiciaires (« Juridiquement, que peut-on faire? », « Il faut demander au contentieux », p. 120) ; et Monsieur Papillon rappelle les règles de l'administration (« Il faudra rattraper les heures de travail perdues », p. 126). Le procédé culmine au dénouement de ce tableau: au moment le plus critique, les conventions sociales et les codes de la politesse persistent mécaniquement, et une cascade d'« après vous » ponctue la fuite en catastrophe des employés du bureau.

À partir du second tableau de l'acte II, le décalage entre les mots et les choses, le discours et la réalité, change radicalement de signification: il se transforme en élément du mécanisme tragique. Alors que le délire du Logicien reste sans conséquences, le terrorisme intellectuel de Botard et de Jean, puis la collusion de Dudard avec l'ennemi marquent les étapes de la progression inexorable du mal.

LA PAROLE MENACÉE : UN REFUGE PRÉCAIRE

Dans *La Leçon*, dans *Tueur sans gages* et plus tard dans *Macbett*, Ionesco montre comment le langage se met au service du pouvoir. Le discours du Professeur *(La Leçon)*, celui de la politicienne démagogue *(Tueur sans gages)* et celui du dictateur *(Macbett)* servent d'instrument de domination et de manipulation. Le cas de *Rhinocéros* est très particulier, puisque ce sont les rhinocéros qui prennent le pouvoir, c'est-à-dire un « règne » qui refuse ou plutôt ignore le langage.

Pour la première fois dans son théâtre, Ionesco met donc en scène non seulement les dangers que comportent la parole et son usage, mais aussi les dangers qui la menacent. Dès l'acte I, les bruits et les cris, les galops et les barrissements, plus puissants que la voix, couvrent et interrompent les conversations, occultent le sens, perturbent la communication. À l'acte II, la parole n'est plus seulement menacée de l'extérieur, mais de l'intérieur; les étapes de la rhinocérisation de Jean entraînent la dégradation progressive de son langage. Sa voix devient plus rauque; sa respiration bruyante, ses toux, ses onomatopées entrecoupent ses répliques. La syntaxe est atteinte à son tour:

> JEAN, *à peine distinctement.*
> Chaud… trop chaud. Démolir tout cela, vêtements, ça gratte, vêtements, ça gratte (p. 162).
> JEAN
> Les marécages! les marécages!… (p. 163).

Jean renonce à construire ses phrases, et ne s'exprime plus que par phrases nominales ou exclamatives; ses derniers mots sont une menace (« Je te piétinerai, je te piétinerai », p. 164), l'apparition brutale du « tu » marquant la rupture définitive des codes sociaux.

La question du langage, de ses pouvoirs, de sa définition, constitue l'enjeu central du dernier acte. Les trois survivants semblent se passer le relais. Dudard, l'« intellectuel subtil, érudit » (p. 199), que son sens de la dialectique n'a pas sauvé de la rhinocérisation, part le premier; Daisy reprend aussitôt certaines de ses positions: « Il faut trouver un modus vivendi, il faut tâcher de s'entendre avec » (p. 235). Elle pose donc la question du moyen de communication avec les rhinocéros:

> DAISY
> […] Mais nous devrions essayer de comprendre leur psychologie, d'apprendre leur langage.
> BÉRENGER
> Ils n'ont pas de langage! Écoute… Tu appelles ça un langage?
> DAISY
> Qu'est-ce que tu en sais? Tu n'es pas polyglotte! (p. 235).

Daisy s'enfuit à son tour, et Bérenger adopte sa proposition: « D'abord, pour les convaincre, il faut leur parler. Pour leur parler, il faut que j'apprenne leur langue » (p. 244). Mais le problème désormais s'inverse : « Ou qu'ils apprennent la mienne ? Mais quelle langue est-ce que je parle ? Est-ce du français, ça ? » (p. 244).

Quel serait le sens d'un langage qui ne permettrait plus de communiquer ? Dès lors que la norme a changé de camp, le langage n'est-il pas passé lui aussi de l'autre côté ? N'est-ce pas Bérenger qui barrit en croyant parler ?

Ces interrogations auxquelles plus personne ne peut répondre minent l'ultime monologue de Bérenger, hésitant, chaotique, incohérent. Mais l'essentiel est peut-être que ce monologue existe, que la parole, même menacée, même ébranlée, survive malgré tout, comme le propre de l'homme. Dans ses entretiens et ses interviews, Ionesco a souvent dénoncé l'un des lieux communs associés au Théâtre de l'absurde, celui de la fameuse « incommunicabilité » : il n'a cessé d'affirmer que s'il écrivait du théâtre, c'était qu'il faisait confiance, envers et contre tout, à la valeur du langage comme instrument de communication.

6 Conte, farce ou tragédie ?

« Tragique et farce, prosaïsme et poétique, réalisme et fantastique, quotidien et insolite, voilà peut-être les principes contradictoires (il n'y a de théâtre que s'il y a des antagonismes) qui constituent la base d'une construction théâtrale possible[1] », affirme Ionesco dans *Notes et contre-notes*.

Ionesco n'a en effet jamais cessé de jouer avec les genres et de transgresser les frontières qui les séparent. Les dénominations génériques de ses premières pièces le montrent : « anti-pièce » pour *La Cantatrice chauve*, « drame comique » pour *La Leçon*, « comédie naturaliste » pour *Jacques ou la soumission*, « farce tragique » pour *Les Chaises*, et « pseudo-drame » pour Victimes du devoir. Il s'en explique dans *Notes et contre-notes* :

> J'ai intitulé mes comédies « anti-pièces », « drames comiques », et mes drames « pseudo-drames » ou « farces tragiques », car, me semble-t-il, le comique est tragique, et la comédie de l'homme, dérisoire[2].

Ces dénominations fantaisistes ou contradictoires prennent fin avec le cycle Bérenger. Pour autant, cela ne signifie pas que Ionesco abandonne le mélange des genres et des registres. C'est peut-être même dans *Rhinocéros* qu'il le pousse le plus loin. En effet, la pièce ne joue pas seulement sur les genres dramatiques, mais sur les genres narratifs ou poétiques. Elle se présente à la fois comme un conte poétique et fantastique, comme une para-

1. *Notes et contre-notes*, p. 62.
2. *Ibid.*, p. 61.

bole philosophique et politique, comme une farce et comme une comédie, comme un drame et comme une tragédie.

L'« intertextualité » (le mécanisme par lequel un texte dialogue avec des textes antérieurs) est révélatrice de ce mélange. Ionesco, dans *Rhinocéros*, multiplie les allusions et les références littéraires, traversant les siècles et les genres, de Sophocle et Socrate à La Fontaine, Molière, Labiche et Offenbach.

UN CONTE PHILOSOPHIQUE

La première version de *Rhinocéros* est une nouvelle, et l'on repère dans la pièce de nombreuses traces de ce point de départ narratif. Ionesco utilise ici les éléments traditionnels du conte, le fantastique et le merveilleux. L'apparition puis l'invasion des rhinocéros, irruption de l'insolite dans un univers apparemment réaliste et familier, crée une confusion entre le normal et l'anormal, une hésitation entre explication rationnelle et intervention du surnaturel, caractéristiques qui sont celles du fantastique. La métamorphose des hommes en rhinocéros, qui demeure inexpliquée, relève plutôt du merveilleux. Mais, comme Voltaire dans ses contes philosophiques, Ionesco n'utilise le détour de la fable que pour parler de son époque. De même que Candide est confronté au tremblement de terre de Lisbonne ou à l'Inquisition, Bérenger se heurte à la réalité contemporaine, celle des totalitarismes du xxe siècle. On pourrait imaginer de sous-titrer la pièce, comme le ferait Voltaire ses contes : à *Candide ou l'optimisme* répondrait un *Rhinocéros ou le fanatisme*.

Le rhinocéros apparaît donc comme une allégorie[1]. On peut certes lire la pièce au premier degré, mais, comme dans une parabole, l'anecdote importe moins que la morale, la signification cachée. Les allusions aux fables de La Fontaine ne sont pas

1. *Allégorie :* personnification d'une idée abstraite.

innocentes : « [...] depuis que les animaux ont été décimés par la peste » (p. 35) renvoie aux *Animaux malades de la peste*, mais place surtout la pièce sous le signe de la fable animalière. Comme l'albatros de Baudelaire personnifie la condition du poète, le rhinocéros de Ionesco symbolise la brutalité, la violence aveugle, à cause de l'épaisseur de sa peau (qui peut évoquer une carapace, une cuirasse, ou le blindage d'un char d'assaut), de sa couleur verte (qui rappelle le vert-de-gris des uniformes nazis), de sa corne agressive et de sa course rectiligne.

Enfin, l'épidémie elle-même est traitée comme une allégorie politique : comme dans le roman d'Albert Camus, (*La Peste*, 1947), elle renvoie aux grandes convulsions de l'Histoire, et à la progression du mal collectif à laquelle ne peut répondre que la révolte de l'individu.

FARCE ET COMÉDIE

La pièce joue sur tous les registres du comique, des plus primitifs (la farce et le burlesque) aux plus élaborés (l'humour, l'ironie, la parodie). On retrouve donc chez Ionesco la même diversité que chez Molière, à qui la pièce fait souvent référence : l'enterrement dérisoire du chat à la fin de l'acte I fait évidemment penser à la célèbre réplique d'Agnès dans *L'École des femmes* : « Le petit chat est mort. » Les leçons de morale de Jean rappellent les interminables discours de ces frères ou beaux-frères raisonnables et raisonneurs (tel le Cléante de *Tartuffe*), tandis que la leçon du Logicien évoque celle du maître de philosophie dans *Le Bourgeois gentilhomme*. Enfin, le dialogue de Jean et de Bérenger au second tableau de l'acte II fait allusion au débat qui oppose Alceste et Philinte au début du *Misanthrope* :

> PHILINTE
> Vous voulez un grand mal à la nature humaine.
> ALCESTE
> Oui, j'ai conçu pour elle une effroyable haine (acte I, scène 1).

BÉRENGER
Vous êtes bien misanthrope aujourd'hui.
JEAN
Oui, je suis misanthrope, misanthrope, misanthrope, ça me plaît d'être misanthrope (p. 151).

« Du mécanique plaqué sur du vivant »

Dans *Le Rire* (1899), Bergson distingue et hiérarchise différentes formes de comique (comique des gestes et des mouvements, comique de situation, comique de mots et comique de caractère), dont il dégage le point commun: la « raideur », c'est-à-dire l'incapacité du personnage à s'adapter aux situations, donc à faire preuve de la souplesse qu'exige de lui la société. Il définit en une formule célèbre ce qui constitue pour lui l'essence du comique: « Du mécanique plaqué sur du vivant[1] ».

Cette définition classique s'applique parfaitement à *Rhinocéros*, dont la plupart des personnages se caractérisent par la raideur physique (qui entraîne les collisions et chutes de l'acte I), psychologique, morale, ou intellectuelle. On pense d'abord aux « personnages-marionnettes » de l'acte I, qui ne sont désignés que par leur fonction (du Logicien à l'Épicier), et qui réagissent de manière conventionnelle à l'événement. La répétition mécanique de leurs répliques brèves et stéréotypées, dans les deux moments de crise de l'acte, évoque un chœur d'opérette à la manière d'Offenbach. Mais la raideur caractérise aussi des personnages comme Jean ou Botard: la rigidité psychologique de l'un, la rigidité idéologique de l'autre les conduisent droit à la rhinocérisation. Chez un personnage plus souple et plus complexe, comme Dudard, le comique naît d'une contradiction interne: entre le détachement affiché et le dépit amoureux, ou entre l'intelligence, la culture, la tolérance, et l'attrait pour l'état sauvage.

1. Henri Bergson, *Le Rire*, 1899; P.U.F., 1959, p. 410.

Le comique de l'absurde

On repère enfin dans la pièce les éléments du comique propre à Ionesco : nous avons vu que le délire verbal, l'absurde, le non-sens y jouaient un rôle, même s'il est moins important que dans les pièces du début ; les anachronismes chers à l'auteur font une brève apparition, qui les rend d'autant plus insolites : on apprend à l'acte III que le cardinal de Retz (« Un prélat ! »), Mazarin, le duc de Saint-Simon (« Nos classiques ! ») se sont transformés en rhinocéros (p. 208).

Ionesco lui-même fait intrusion dans sa pièce, à travers une réplique de Jean :

> JEAN, *à Bérenger.*
> [...] Connaissez-vous le théâtre d'avant-garde, dont on parle tant ? Avez-vous vu les pièces de Ionesco ?
> BÉRENGER, *à Jean.*
> Non, hélas ! J'en ai entendu parler seulement.
> [...]
> JEAN, *à Bérenger.*
> Il en passe une, en ce moment. Profitez-en.
> [...]
> BÉRENGER
> Ce sera une excellente initiation à la vie artistique de notre temps (p. 55).

Mêlant provocation et autodérision, cette « mise en abyme » est caractéristique de l'humour de l'auteur, qui s'est déjà mis en scène, avec distance, dans *L'Impromptu de l'Alma* (1955).

TRAGÉDIE ET DRAME

La pièce comporte de nombreuses références ou allusions à l'Antiquité, à la cité grecque et à la tragédie. La place de la petite ville évoque l'agora grecque, où se débattaient les problèmes politiques, c'est-à-dire ceux de la cité *(polis)*. Le Logicien, qui devrait être l'homme du *logos*, c'est-à-dire à la fois de la parole et de la raison, représente une caricature du philosophe dégradé en sophiste. Le sophiste, qui utilise le langage non comme instrument de recherche de la vérité mais comme outil de manipulation ou de controverse formelle, constituait la cible principale de Socrate dans les dialogues de Platon (ce qui pourrait donner un autre sens à la référence à Socrate dans les syllogismes pervertis du Logicien).

La situation de *Rhinocéros* évoque celle du modèle de la tragédie grecque, l'*Œdipe roi* de Sophocle. Les deux pièces associent structure tragique et structure policière. Dans les deux cas, une épidémie (peste ou rhinocérisation) se déclenche dans la ville, et dans les deux cas, l'enquête conduit à la découverte que le danger ne vient pas du dehors, mais de l'intérieur même de la cité. Sophocle et Ionesco aboutissent en somme à la même conclusion : le coupable, c'est l'homme. Comme Ionesco l'écrit dans *Antidotes* : « L'enfer n'est pas ailleurs, l'enfer est ici, il est en nous, nous sommes l'enfer. »

Le mécanisme tragique

Cette inspiration tragique inscrit donc *Rhinocéros*, en dépit des apparences, dans la continuité du théâtre français de l'entre-deux-guerres et de la Seconde Guerre mondiale. De Giraudoux *(Électre, La guerre de Troie n'aura pas lieu)* à Cocteau *(La Machine infernale)*, Sartre *(Les Mouches)* et Anouilh *(Antigone)*, les dramaturges des années 30 et 40 « relisent » les grands mythes grecs (celui d'Œdipe et celui d'Électre), et tentent de retrouver l'esprit de la tragédie. *Rhinocéros* est construit sur le modèle de cette « machine infernale » qui donne son titre à la pièce de Cocteau, et que l'auteur définit dans son prologue :

> Regarde, spectateur, remontée à bloc, une des plus parfaites machines construites par les dieux infernaux pour l'anéantissement mathématique d'un mortel[1].

1. Jean Cocteau, *La Machine infernale*, 1934 ; Livre de poche, p. 12.

La prolifération inexorable des rhinocéros peut se lire comme une métaphore du destin. Le rétrécissement de l'espace, la figure récurrente du cercle et de l'encerclement matérialisent le piège dans lequel le héros est peu à peu enfermé ; enfin, l'accélération progressive du temps peut faire penser à la célèbre définition que Cassandre donne du destin au début de *La Guerre de Troie n'aura pas lieu* : « C'est simplement la forme accélérée du temps. »

Le suspens dramatique

Mais ce mouvement tragique se suspend avant la fin de la pièce, pour laisser la place à une interrogation ou à une hésitation qui relève plutôt du « dramatique ». Par la voix du chœur de son *Antigone*, Anouilh oppose en ces termes tragédie et drame :

> C'est reposant, la tragédie, parce qu'on sait qu'il n'y a plus d'espoir, le sale espoir, qu'on est pris, qu'on est enfin pris comme un rat avec tout le ciel sur son dos [...]. Dans le drame, on se débat parce qu'on espère en sortir[1].

Rhinocéros présente plusieurs caractéristiques du drame. Bérenger se débat jusqu'au bout, oscillant entre découragement et révolte. Sa trajectoire, contrairement à celle du héros tragique qui court droit à sa perte, n'a rien de rectiligne, comme le montre son ultime monologue, dans lequel s'expriment hésitations, contradictions, doutes et repentirs. Tout le dernier acte entretient une incertitude sur l'issue finale, un soupçon sur l'éventuelle « rhinocérisation » du protagoniste, qui persiste jusqu'à la fin : le rideau tombe avant le dénouement, laissant au spectateur le soin de conclure.

UN « GUIGNOL TRAGIQUE »

« Je n'ai jamais compris, pour ma part, la différence que l'on fait entre comique et tragique. Le comique étant intuition de

---

1. Jean Anouilh, *Antigone*, La Table Ronde, 1946, p. 54.

l'absurde, il me semble plus désespérant que le tragique », affirme Ionesco dans *Notes et contre-notes*[1]. Il ne se contente pas de juxtaposer ou de mélanger les registres: tragique et comique sont chez lui indissociables, et renvoient sans cesse l'un à l'autre.

À l'acte I, la présence du chœur peut apparaître comme un clin d'œil à la tragédie grecque. Mais le chœur « tragique », représentant des citoyens, témoin et commentateur des événements, se transforme vite en un chœur d'opérette, mieux accordé à la condition des personnages. À l'acte II, la « scène de reconnaissance » entre Monsieur et Madame Bœuf se réfère à une situation classique de la comédie. Ionesco grossit ce comique jusqu'au burlesque (décalage entre un sujet et son traitement). La bourgeoise Madame Bœuf qui part au galop sur le dos de son rhinocéros de mari se transforme en personnage fabuleux, digne de la mythologie (« c'est une amazone », p. 124). Mais c'est cette reconnaissance parodique qui, en dévoilant la vraie nature des rhinocéros, enclenche le mécanisme tragique.

Dès lors, le climat s'assombrit progressivement: la métamorphose de Jean, puis la défection de Dudard et Daisy mettent au premier plan la solitude et l'angoisse de Bérenger. La part du comique se réduit de plus en plus, au fur et à mesure que le spectateur s'identifie au protagoniste. On peut voir dans la scène finale, qui fait de Bérenger, l'angoissé, le complexé, un symbole de la « résistance », et donc qui transforme l'antihéros en héros malgré lui, un dernier trait de l'ironie de l'auteur, qui reflète l'ironie tragique de l'Histoire.

En définissant sa pièce comme « une farce tragique, farce bien sûr, mais oppressante[2] », Ionesco montre que, même si son propos est devenu plus grave, il n'a pas rompu avec l'inspiration de

1. *Notes et contre-notes*, p. 60-61.
2. *Ibid*, p. 285.

ses premières pièces. « Farce tragique » définissait déjà le « genre » des *Chaises*: l'accent s'est déplacé (la farce dominait dans *Les Chaises*, la tragédie l'emporte dans *Rhinocéros*), mais l'oxymore (association de deux termes de sens opposé) continue à caractériser l'œuvre de l'auteur. L'oxymore « guignol tragique » pourrait constituer la meilleure définition d'un théâtre qui n'aura jamais rompu avec l'esprit d'enfance, et ne se sera jamais converti à l'esprit de sérieux.

7 Le texte et ses représentations

Dans *Notes et contre-notes*, Ionesco évoque à plusieurs reprises les théories qu'Artaud expose dans *Le Théâtre et son double*. Il reprend l'idée essentielle développée par Artaud : le théâtre n'est pas seulement, comme le veut la tradition occidentale, un art de la parole, du dialogue, donc du sens ; il est d'abord un art du signe, c'est-à-dire un art de l'espace, du corps, de l'objet, un art visuel et auditif. Comme Artaud, Ionesco veut faire parler au théâtre son langage spécifique :

> Si l'on pense que le théâtre n'est que théâtre de la parole, il est difficile d'admettre qu'il puisse avoir un langage autonome [...]. Il n'y a pas que la parole : le théâtre est une histoire qui se vit, recommençant à chaque représentation, et c'est aussi une histoire que l'on voit vivre. Le théâtre est autant visuel qu'auditif. Il n'est pas une suite d'images, comme au cinéma, mais une construction, une architecture mouvante d'images scéniques[1].

La représentation n'est donc pas un « supplément » : elle est consubstantielle à l'œuvre. Ionesco, parlant de la genèse de ses pièces, a souvent déclaré qu'il ne partait pas d'une idée, d'un thème ou d'un sujet, mais d'une image qui s'imposait à lui. Son théâtre naît de la scène et, en ce sens, il est sans doute un théâtre à jouer autant ou plus qu'un théâtre à lire :

> Tout est permis au théâtre : incarner des personnages, mais aussi matérialiser des angoisses, des présences intérieures. Il est donc non seulement permis, mais recommandé, de faire jouer les accessoires, faire vivre les objets, animer les décors, concrétiser les symboles[2].

1. *Notes et contre-notes*, p. 63.
2. *Ibid.*

LE RÔLE DES DIDASCALIES

La notion de « didascalies » ne désigne pas seulement, selon une définition courante et restrictive, les indications d'espace ou de jeu. Elle inclut toute la part du texte de théâtre qui n'est pas dialogue, c'est-à-dire qui n'est pas destinée à être dite par les personnages. Le titre, la détermination générique, les divisions en actes et tableaux, les noms des personnages en font partie et, comme nous l'avons vu, ces données chez Ionesco sont capitales.

L'auteur joue systématiquement sur ces marges du texte, ce que les théoriciens du récit appellent le « paratexte »: le titre (faute de déterminant, « rhinocéros » peut s'entendre au singulier ou au pluriel), le genre (« pièce en trois actes », moins provocateur qu'« anti-pièce » ou « farce tragique », va dans le même sens[1]) et les noms (mélange de patronymes réalistes et fantaisistes). Ainsi, avant même le début de la pièce, l'accent est mis sur l'importance des didascalies.

Le Théâtre de l'absurde a modifié de façon décisive le rapport entre dialogue et didascalies. Les didascalies, minimales dans le théâtre classique où elles se réduisent à des indications techniques, plus visibles dans le théâtre romantique où elles ont une fonction à la fois descriptive (indications d'espace) et psychologique (indications de jeu), deviennent omniprésentes dans le théâtre des années 50. Elles peuvent prendre le dessus sur le dialogue, voire se substituer à lui[2], ainsi que le souligne Ionesco dans *Notes et contre-notes*:

> Je ne fais pas de littérature. Je fais une chose tout à fait différente; je fais du théâtre. Je veux dire que mon texte n'est pas seulement un dialogue mais il est aussi « indications scéniques ». Ces indications

1. Cette appellation neutre manifeste le même refus de caractériser l'œuvre en fonction de son registre, donc de la classer.

2. Deux pièces de Beckett, *Acte sans paroles I et II*, ne sont constituées que d'une didascalie.

scéniques sont à respecter aussi bien que le texte, elles sont nécessaires, elles sont aussi suffisantes[1].

Les didascalies marquent donc l'importance nouvelle que les auteurs accordent à la « théâtralité », c'est-à-dire aux conditions matérielles de la représentation, décor, jeu, mise en scène, désormais inscrites à l'intérieur même du texte. Mais le souci de fixer précisément ces conditions peut aussi traduire une méfiance à l'égard des metteurs en scène, de leurs inventions et de leurs éventuelles trahisons, méfiance qu'ont souvent exprimée Ionesco et Beckett. Dès lors que les didascalies sont élevées à la dignité du dialogue, et donc acquièrent force de loi, quelle reste la marge de liberté du metteur en scène ?

Naturalisme et stylisation

Les didascalies interviennent dans *Rhinocéros* à tous les moments stratégiques. Chaque acte et chaque tableau s'ouvre par une longue didascalie qui décrit la structure du dispositif. La première détaille les lieux emblématiques d'une petite place de village : épicerie, café, église, clocher. Les indications de hauteur (les étages des « commerces ») et de profondeur (la rue en perspective, le clocher au lointain), de lumière et de couleur (« Ciel bleu, lumière crue, murs très blancs », p. 13), de son (le carillon) composent un tableau réaliste, mais peut-être trop conventionnel pour être vrai.

La didascalie initiale du premier tableau de l'acte II est encore plus développée et plus minutieuse. Le bureau d'éditions est décrit dans le moindre détail, de la structure de l'espace (la grande porte médiane du fond, réservée au Chef, la porte donnant sur le palier et l'escalier) aux meubles (les tables et les chaises de taille et de « beauté » inégales selon l'importance de leurs occupants, l'horloge qui rappelle les contraintes de l'horaire), et aux objets (tous liés à la lecture et à l'écriture : livres, machine à écrire, feuilles

1. *Notes et contre-notes*, p. 285

dactylographiées, épreuves d'imprimerie et journal). Mais ce naturalisme semble contesté par une indication qui se réfère à une convention théâtrale, celle du « tableau vivant » :

> *[…] Au lever du rideau, pendant quelques secondes, les personnages restent immobiles, dans la position où sera dite la première réplique. […]* (p.92).

Les didascalies qui ouvrent le tableau suivant et le dernier acte sont plus courtes et plus classiques. Elles décrivent le décor et l'ameublement banals de deux chambres similaires. Comme les précédentes, elles relèvent à première vue d'une esthétique naturaliste. Mais une indication qui revient d'acte en acte suggère une autre possibilité :

> *[…] Entre la porte du fond et le mur de droite, une fenêtre. Dans le cas où le théâtre aurait une fosse d'orchestre, il serait préférable de ne mettre que le simple encadrement d'une fenêtre, au tout premier plan, face au public. […]* (p.92).

> *[…] Au milieu, la porte donnant sur l'escalier. Si on veut faire un décor moins réaliste, un décor stylisé, on peut mettre simplement la porte sans cloison. […]* (p. 136).

> *[…] Encadrement d'une fenêtre à l'avant-scène*[1] *[…]* (p. 169).

Ces didascalies laissent donc une certaine marge de liberté au metteur en scène et au décorateur, en esquissant la possibilité d'une stylisation. Les cadres vides, qui suggèrent des portes ou des fenêtres abstraites, purs signes théâtraux, contrastent avec les portes et les fenêtres réelles, et décalent l'image scénique. De même, les jeux sur la fosse d'orchestre (où défilent les cornes de rhinocéros) et la salle (que Bérenger observe à travers le cadre de fenêtre) à la fin de l'acte II contribuent à casser l'illusion réaliste, en rappelant au spectateur qu'il est au théâtre. Ionesco joue sur la confrontation de deux esthétiques antagonistes, et

1. Il s'agit de la chambre de Bérenger.

sur la dualité qui inspire toute sa dramaturgie : naturalisme et symbolisme, réalisme et stylisation, vraisemblance et fantaisie, vérité et théâtralité.

Un jeu physique exacerbé

Les didascalies de jeu concernent principalement les gestes et les déplacements. Elles l'emportent sur les indications psychologiques, rares et convenues, ce qui confirme le rôle premier du corps dans le théâtre de Ionesco.

À l'acte I, leur fonction est avant tout technique. Elles règlent la mécanique des entrées et des sorties, aussi précise que chez Labiche ou Feydeau, les trajectoires qui se croisent ou se télescopent comme dans un ballet, ainsi que la polyphonie complexe des voix qui se répondent et se superposent, comme dans une opérette. À l'acte II, elles décrivent les va-et-vient rectilignes de Jean dans la chambre qu'il parcourt d'un mur à l'autre « [...] *comme une bête en cage* [...] » (p.152), animal sauvage que Bérenger a de plus en plus de mal à esquiver : le jeu de scène peut faire penser à la fois au combat de boxe et à la corrida.

Le rôle grandissant, quantitativement et qualitativement, des indications de jeu à la fin des actes et des tableaux souligne la montée de la tension dramatique. L'acte I se termine sur la sortie du cortège funèbre du petit chat, théâtral, solennel et dérisoire. Au premier tableau de l'acte II, la fuite des personnages par la fenêtre, dans une situation de crise, reste tempérée par les rituels sociaux (« après vous », p. 135). La violence et l'agressivité des propos, qui ont dominé tout le tableau, ne se communiquent pas encore aux comportements, qui restent policés.

Le second tableau marque donc une rupture décisive de l'équilibre entre geste et parole. Pour la première fois dans la pièce, la violence physique l'emporte sur la violence verbale ; l'affrontement entre Jean et Bérenger manifeste l'impuissance du langage face à la progression du mal. La scène se conclut sur un monologue de Bérenger dans lequel les didascalies prennent le pas sur les mots.

Elles mettent l'accent sur le jeu physique exacerbé du personnage, qui se heurte aux obstacles, aux portes et aux murs comme s'il était à son tour un animal pris au piège.

UNE SCÉNOGRAPHIE SPECTACULAIRE

L'espace de la pièce se définit à la fois par sa structure et par sa dynamique. Il s'agit d'abord d'un espace divisé : entre scène et hors-scène, entre cour et jardin, entre scène et salle, entre haut et bas. Ces clivages mettent en lumière les tensions entre le dedans, qui se transforme peu à peu en huis clos, et le dehors, dont s'emparent progressivement les rhinocéros. Les fenêtres, les portes, l'escalier, à la frontière de ces deux mondes, jouent un rôle essentiel. Ces seuils dangereux sont souvent détournés de leur usage : l'effondrement de l'escalier oblige les personnages à fuir par la fenêtre, puis l'invasion de la fosse d'orchestre interdit à Bérenger de s'échapper par la salle.

L'espace de Ionesco est toujours un espace dynamique. Il se rétrécit d'un acte à l'autre, évoquant comme nous l'avons vu le « piège » tragique. Le décor est mobile, et actif. Il est envahi par la poussière (la place de l'acte I), il s'écroule (l'escalier du bureau, le mur du fond de la chambre de Jean), ou se métamorphose à vue (les têtes de rhinocéros perçant le mur de la chambre de Bérenger), devenant un espace onirique, la concrétisation d'une hallucination ou d'un cauchemar :

> *On voit apparaître, puis disparaître sur le mur du fond, des têtes de rhinocéros stylisées qui, jusqu'à la fin de l'acte, seront de plus en plus nombreuses. À la fin, elles s'y fixeront de plus en plus longtemps puis, finalement, remplissant le mur du fond, s'y fixeront définitivement. Ces têtes devront être de plus en plus belles malgré leur monstruosité* (p. 219).

La fonction des objets

L'espace est aussi structuré et modifié par les objets. On peut les classer en plusieurs catégories : les objets réels ou réalistes, tables et chaises du café, meubles du bureau et des chambres, qui contribuent à l'illusion de vraisemblance ; les objets « conventionnels », attributs obligés des personnages, tels que les costumes-uniformes, désignant une fonction, une classe sociale, un comportement, ou tels que les objets que Jean sort de sa poche à l'acte I (une cravate, un peigne, un miroir, qui traduisent son souci de correction).

Ces objets fonctionnent surtout comme des signes, constituant souvent des séries significatives. Les objets de verre, verres et bouteilles du café, miroirs de la salle de bains de Jean et de la chambre de Bérenger, symbolisent la fragilité face à la brutalité rhinocérique. Les miroirs, associés aux photographies et aux portraits, renvoient aussi au visage, donc à l'identité humaine face à l'animalité. Les instruments de communication, radio et téléphone, manifestent la difficulté grandissante de la liaison avec l'extérieur. Au premier tableau de l'acte II, après l'effondrement de l'escalier, Daisy parvient difficilement à joindre les pompiers au téléphone (p. 125) ; au tableau suivant, Jean interdit à Bérenger l'usage de son téléphone (« Laissez cet appareil tranquille », p.150) ; à la fin du dernier acte, le téléphone sonne dans la chambre de Bérenger (« c'est la sonnerie des autorités, je la reconnais. Une sonnerie longue ! », p. 229) ; mais on n'entend à l'autre bout du fil que des barrissements, que transmet aussi la radio.

Un objet récurrent, étroitement lié à la dramaturgie et à la dynamique de la pièce, combine toutes ces fonctions : les cornes de rhinocéros sont d'abord des objets réels, dangereux, perçants. Elles traversent le veston de Bérenger, puis les portes et les murs ; elles empalent le canotier du Logicien. En tant que signes, elles renvoient à l'animal lui-même, sur le mode de la figure de rhétorique qu'on appelle « synecdoque[1] ». Il est difficile de représenter

1. *Synecdoque :* figure rhétorique qui désigne le tout par la partie.

des rhinocéros sur un plateau, et l'animal est plus inquiétant, plus menaçant de rester invisible, à demi-visible, suggéré ou fantasmé. Les cornes symbolisent enfin, par leur prolifération — constante de l'objet chez Ionesco —, la violence, le conformisme, l'hystérie collective, et peuvent aussi apparaître comme la figure du destin tragique.

QUELQUES MISES EN SCÈNE

La mise en scène de la pièce pose de nombreux problèmes techniques : celui de la représentation des rhinocéros, des « effets » scénographiques, ou de la métamorphose finale des têtes de rhinocéros, pour ne citer que quelques exemples. Mais le principal enjeu de la mise en scène réside sans doute dans la direction d'acteurs, et dans le choix d'un style de jeu. Faut-il suggérer la rhinocérisation, ou la représenter ?

La question se pose notamment dans la scène de transformation de Jean : faut-il utiliser des accessoires, jouer sur les maquillages et les masques, ou donner la sensation de la métamorphose par le seul jeu de l'acteur ? Ce choix conditionne la tonalité de la pièce. La première option met l'accent sur le comique, voire la farce, la seconde rend la pièce plus noire.

Rhinocéros a été créée en allemand, au *Schauspielhaus* de Düsseldorf, en 1959, dans une mise en scène de Karl-Heinz Stroux. La date et le lieu imposaient le parti pris tragique, et la référence directe et explicite au nazisme.

La création française, en 1960, à l'Odéon-Théâtre de France, dans une mise en scène de Jean-Louis Barrault et dans un décor de Jacques Noël (reprise en 1961, et filmée pour la télévision en 1965), se situait dans un autre registre. Elle laissait une place au comique et à la bouffonnerie (évidents à l'acte I et au premier tableau de l'acte II), qui rendaient d'autant plus sensible le glissement vers le tragique. Pour Barrault, quelle que soit la gravité du thème, Ionesco reste un auteur comique, un « clown triste ». Le metteur en scène évoque dans le programme du spectacle le comique de Molière et Chaplin.

Entre ces deux conceptions, Ionesco ne tranche pas nettement :

> Je pense que Jean-Louis Barrault a parfaitement saisi la signification de la pièce et qu'il l'a parfaitement rendue. Les Allemands en avaient fait une tragédie, Jean-Louis Barrault une farce terrible et une farce fantastique. Les deux interprétations sont valables, elles constituent les deux mises en scène types de la pièce[1].

En revanche, il s'élève violemment contre la mise en scène new-yorkaise de 1961, qui tire la pièce du côté du comique de boulevard, de sorte que les critiques américains la perçoivent comme une pièce drôle. Or, du point de vue de l'auteur, « elle n'est pas drôle ; bien qu'elle soit une farce, elle est aussi une tragédie[2] ». Ionesco dénonce une « tricherie intellectuelle », et rend hommage à l'acteur italien Moretti (1960), qui avait fait de la pièce « un drame touchant et douloureux », et à Stroux (1959), qui en avait fait « une tragédie nue, sans concessions, à peine teintée d'une ironie mortelle ». Il semble indiquer ainsi sa préférence pour les versions les plus « sombres » de son œuvre.

La pièce a curieusement été peu montée en France (à la Maison de la Culture de Grenoble en 1971, au théâtre des Célestins de Lyon en 1972), alors qu'elle n'a cessé d'être jouée dans le monde entier avec un immense succès, ce qui témoigne de son universalité. Avec *Rhinocéros*, Ionesco a sans doute inventé un mythe contemporain.

---

1. *Notes et contre-notes*, p. 284.
2. *Notes et contre-notes*, p. 285.

TROISIÈME PARTIE

Lectures analytiques

Texte 1 [Une double « leçon »]

(*Rhinocéros*, acte I, pages 44 à 46)

BÉRENGER, *à Jean.*

Vous avez de la force.

JEAN

Oui, j'ai de la force, j'ai de la force pour plusieurs raisons. D'abord, j'ai de la force parce que j'ai de la force, ensuite j'ai de la force parce que j'ai de la force morale. J'ai aussi de la
5 force parce que je ne suis pas alcoolisé. Je ne veux pas vous vexer, mon cher ami, mais je dois vous dire que c'est l'alcool qui pèse en réalité.

LE LOGICIEN, *au Vieux Monsieur.*

Voici donc un syllogisme exemplaire. Le chat a quatre pattes. Isidore et Fricot ont chacun quatre pattes. Donc Isi-
10 dore et Fricot sont chats.

LE VIEUX MONSIEUR, *au Logicien.*

Mon chien aussi a quatre pattes.

LE LOGICIEN, *au Vieux Monsieur.*

Alors, c'est un chat.

BÉRENGER, *à Jean.*

Moi, j'ai à peine la force de vivre. Je n'en ai plus envie peut-être.

LE VIEUX MONSIEUR, *au Logicien.*

après avoir longuement réfléchi.

15 Donc, logiquement, mon chien serait un chat.

LE LOGICIEN, *au Vieux Monsieur.*

Logiquement, oui. Mais le contraire est aussi vrai.

BÉRENGER, *à Jean.*

La solitude me pèse. La société aussi.

JEAN, *à Bérenger.*

Vous vous contredisez. Est-ce la solitude qui pèse, ou est-ce la multitude ? Vous vous prenez pour un penseur et vous
20 n'avez aucune logique.

LE VIEUX MONSIEUR, *au Logicien.*

C'est très beau, la logique.

LE LOGICIEN, *au Vieux Monsieur.*

À condition de ne pas en abuser.

BÉRENGER, *à Jean.*

C'est une chose anormale de vivre.

JEAN

Au contraire. Rien de plus naturel. La preuve : tout le
25 monde vit.

BÉRENGER

Les morts sont plus nombreux que les vivants. Leur nombre augmente. Les vivants sont rares.

JEAN

Les morts, ça n'existe pas, c'est le cas de le dire !... Ah ! ah !... *(Gros rire.)* Ceux-là aussi vous pèsent ? Comment
30 peuvent peser des choses qui n'existent pas ?

BÉRENGER

Je me demande moi-même si j'existe !

JEAN, *à Bérenger.*

Vous n'existez pas, mon cher, parce que vous ne pensez pas ! Pensez, et vous serez.

LE LOGICIEN, *au Vieux Monsieur.*

Autre syllogisme : tous les chats sont mortels. Socrate est
35 mortel. Donc Socrate est un chat.

LE VIEUX MONSIEUR

Et il a quatre pattes. C'est vrai, j'ai un chat qui s'appelle Socrate.

LE LOGICIEN

Vous voyez....

INTRODUCTION

Après l'irruption du rhinocéros qui a semé la perturbation dans la petite ville, le calme revient peu à peu, et la vie quotidienne reprend ses droits. Selon le principe d'alternance qui caractérise le rythme de la pièce, une scène de détente succède à une scène de tension, une scène de discussion à une scène d'action et une scène à quatre personnages à une scène collective.

Autour de deux tables du café, Jean et Bérenger d'une part, le Logicien et le Vieux Monsieur de l'autre retrouvent le fil des discussions interrompues par l'incident. Jean donne à Bérenger une leçon de morale, le Logicien donne au Vieux Monsieur une leçon de logique. À l'intérieur de chaque « couple » s'installe le même rapport de forces, celui du professeur face à son élève. Toute la scène joue sur l'opposition et le parallélisme entre ces deux leçons, l'une apparemment sérieuse (celle de Jean), l'autre évidemment absurde (celle du Logicien).

LA LEÇON DE JEAN : UNE MORALE SANS CONTENU

La relation conflictuelle entre Jean et Bérenger, qui s'est installée dès le début de la pièce, prend ici une dimension nouvelle. Jean, le donneur de leçons qui n'a cessé de mettre Bérenger en accusation, se trouve à son tour pris en défaut. Bérenger, ému par l'apparition de Daisy, avait renversé son verre sur le pantalon de Jean. Jean commet une maladresse analogue : il bouscule involontairement le Vieux Monsieur et le Logicien. L'incident place cet extrait sous le signe du comique : comique physique du « gag », comique mécanique de la répétition, et comique psychologique de l'inversion des rôles (la situation classique de « l'arroseur arrosé », qui devient ici celle du juge jugé).

Une parole d'autorité

Cet accident apparemment mineur n'est donc pas sans importance. Il détermine le climat de la scène, explique l'humeur des deux personnages au début de la séquence, et donne leur sens aux premiers échanges. Irrité et vexé par sa maladresse, Jean veut prendre sa revanche ; gêné, Bérenger tente de minimiser l'incident. La réplique initiale n'est donc pas neutre. En lançant « Vous avez de la force » (l. 1), comme une marque d'admiration ou de respect, Bérenger cherche à mettre son ami en valeur, à compenser sa légère humiliation par un compliment, et à transformer sa maladresse en un petit exploit. Il lui fournit une excuse et lui offre une porte de sortie. Mais Jean, ignorant l'implicite de la réplique de Bérenger, la prend au pied de la lettre. Il s'approprie la formule et surenchérit sur elle, dans une tirade péremptoire et répétitive.

Cette tirade le discrédite sur le plan moral, psychologique et intellectuel. Elle manifeste d'abord sa naïveté et sa présomption.

Non seulement il ne perçoit pas l'usage diplomatique du « second degré », mais il traite Bérenger avec condescendance (« mon cher ami », l. 6). Elle montre aussi les limites de sa réflexion. Sa démonstration s'annonce comme un discours rigoureusement construit (« pour plusieurs raisons », l. 2), dont l'armature formelle est maintenue jusqu'au bout (« d'abord », l. 3; « ensuite », l. 3; « aussi », l. 4).

La série des connecteurs logiques annonce un élargissement progressif du champ de l'investigation, alors qu'il ne cesse de se réduire, passant du général (« j'ai de la force », l. 2) au particulier (« de la force morale », l. 4), et à l'anecdotique (« parce que je ne suis pas alcoolisé », l. 5). Le raisonnement avance en régressant: la tautologie « j'ai de la force parce que j'ai de la force » (l. 3) et la répétition (l'expression revient sept fois en sept lignes) traduit l'impuissance de Jean à argumenter. Mais ce bégaiement produit aussi un effet plus inquiétant, un effet de martèlement, qui transforme la formule en slogan. Une proposition sans véritable signification, qu'il faudrait enfoncer à tout prix dans la tête de l'interlocuteur, et qui ne pourrait s'imposer que par la force de cette insistance mécanique. Cette parole d'autorité, qui n'admet pas de réplique, bloque le dialogue au lieu de le favoriser.

Un malaise existentiel

Tout oppose le discours de Bérenger, sur le plan formel comme sur le plan philosophique, à celui de Jean. Jean construit ses phrases selon les règles d'une fausse rhétorique et d'une fausse logique (« parce que », l. 3, 4, 5; « au contraire », l. 24). Bérenger lui répond par de courtes répliques asyndétiques[1]. Jean utilise systématiquement le mode assertif (« oui », l. 2), qui traduit la confiance en soi; Bérenger use et abuse des modalisations (« à

1. *Asyndétique:* qui est caractérisé par l'absence de liens logiques et par la juxtaposition de propositions.

peine », l. 13 ; « peut-être », l. 14), qui trahissent le doute et l'hésitation.

Surtout, les raisonnements vides de Jean contrastent avec les intuitions subtiles de Bérenger qui, en glissant de la question de la « force » (au sens physique et moral) à celle de la « force de vivre » (au sens existentiel), déplace le débat. Des principes théoriques, abstraits et creux, on passe à l'expérience vécue. Jean reste sourd à la profondeur de la proposition de Bérenger (« La solitude me pèse. La société aussi », l. 17). Il s'en tient à sa forme (à l'apparente contradiction des termes, « solitude » et société »), au lieu de percevoir son sens (la double peur qu'elle exprime, la peur de soi et la peur de l'autre, qui loin de s'opposer sont bien sûr indissociables).

Le « cogito » détourné

Ce décalage s'accentue au fil de la séquence. À l'étonnement primordial de Bérenger devant le monde et la vie (« C'est une chose anormale de vivre », l. 23), Jean ne peut répondre que par un constat banal, qui prend à nouveau les apparences de la logique (« Au contraire. Rien de plus naturel. La preuve : tout le monde vit », l. 24-25). À l'angoisse grandissante de Bérenger, hanté par la mort, obsédé par la présence d'un monde invisible et souterrain, Jean ne peut opposer que l'expression du plus grossier bon sens (« Les morts, ça n'existe pas, c'est le cas de le dire !... », l. 28).

Deux visions du monde s'affrontent ici, une vision réaliste et une vision métaphysique, ce que révèle ironiquement la référence finale à Descartes, « Pensez, et vous serez », (l. 33). Philosophe sans le savoir, Bérenger exprime spontanément le doute proprement cartésien (le doute « hyperbolique », qui consiste à suspendre toute certitude, à mettre entre parenthèses toute affirmation sur l'existence du monde), point de départ des *Méditations métaphysiques* : « Je me demande moi-même si j'existe ! » (l. 31).

Jean, fort de sa pseudoculture, réplique prétentieusement par une allusion purement formelle aux mêmes *Méditations*, dont il transpose la formule la plus célèbre (celle du « cogito », que connaissent ceux qui n'ont pas lu une ligne de Descartes : « Je pense, donc je suis »), en la réduisant à une simple vérité du bon sens : « Pensez, et vous serez » (l. 33). Cette formule simpliste et impérative, banal conseil pratique qui invite Bérenger à se cultiver, à lire et à visiter les musées au lieu de boire, révèle le médiocre niveau de la culture et de la pensée de Jean lui-même.

LA LEÇON DU LOGICIEN : UNE LOGIQUE PERVERTIE

Le dialogue entre le Vieux Monsieur et le Logicien (qui, contrairement à Jean et Bérenger, ne sont pas nommés et ne sont désignés que par leurs fonctions, comme le Professeur et l'Élève de *La Leçon*) rappelle l'univers et le ton des toutes premières pièces de Ionesco : il joue sur un « absurde » qui ne se définit pas par l'absence de logique, mais par sa perversion.

Le syllogisme déréglé

La discussion entre le « Logicien professionnel » (dénomination suspecte en elle-même !) et le Vieux Monsieur porte sur le mécanisme du syllogisme. Elle détourne un exercice philosophique traditionnel, qui repose sur le principe de la déduction, donc sur l'organisation rigoureuse de la pensée logique, pour en faire l'instrument du non-sens. Le syllogisme est un argument composé de trois propositions dont la troisième (la conclusion) dérive nécessairement des deux premières (les prémisses : majeure et mineure). Il repose sur un rapport de hiérarchisation et d'implication des termes (« grand », « moyen » et « petit »), comme le montre l'exemple classique : « Tous les hommes sont mortels, or Socrate est un homme, donc Socrate est mortel ». On y passe de la majeure (et de l'universel « mortel ») à la mineure (l'espèce

« homme ») et à la conclusion (l'individu « Socrate »). Si « mortel » (le grand terme) inclut « homme » (le moyen terme), et si « homme » inclut « Socrate » (le petit terme), il faut conclure que « mortel » implique « Socrate ».

Pour pervertir le syllogisme, il suffit d'intervertir soit l'ordre des propositions (majeure, mineure, conclusion), soit l'ordre des termes (grand, moyen, petit). Ionesco joue ici sur les deux plans à la fois. Le premier syllogisme du Logicien, prétendu « exemplaire », se formule ainsi : « Le chat a quatre pattes. Isidore et Fricot ont chacun quatre pattes. Donc Isidore et Fricot sont chats » (l. 8-10). On part d'une majeure juste (« Le chat a quatre pattes »), mais la mineure (« Isidore et Fricot ont chacun quatre pattes ») et la conclusion (« Donc Isidore et Fricot sont chats ») sont interverties. Pour être correct, le syllogisme devrait s'écrire : « Tous les chats ont quatre pattes, Isidore et Fricot sont chats, donc Isidore et Fricot ont quatre pattes. » Chacune des propositions du Logicien, prise isolément, a un sens ; c'est leur enchaînement qui est perturbé. La réplique du Vieux monsieur fait apparaître le vice de raisonnement (« Mon chien aussi a quatre pattes », l. 11). Loin de corriger son erreur, le Logicien enchaîne implacablement, pour aboutir à la conclusion « logique » que les chiens sont des chats.

Le second syllogisme utilise et détourne l'exemple canonique de l'exercice (en remplaçant les hommes par les chats, mais en gardant Socrate !) : « Tous les chats sont mortels. Socrate est mortel. Donc Socrate est un chat », l. 34-35. Il fonctionne sur le même principe que le précédent : on part d'une majeure exacte (« tous les chats sont mortels »), mais mineure et conclusion sont à nouveau interverties. « Redressé », le syllogisme afficherait l'absurdité de sa mineure (« tous les chats sont mortels, or Socrate est un chat, donc Socrate est mortel »). Si l'on conservait mineure et conclusion, il faudrait réécrire la majeure (« tous les mortels sont chats »), ce qui afficherait encore plus nettement l'absurdité du raisonnement.

Délire à deux

Selon un processus de contamination, d'enchaînement et de prolifération caractéristique de la première manière de Ionesco, ces vices de raisonnement dérèglent de proche en proche tout le dialogue. Le Vieux Monsieur emboîte le pas au Logicien, et les deux interlocuteurs dérivent ensemble, l'un relançant l'autre, vers le non-sens. Le langage, entraîné par son propre mécanisme, devient délirant. Mais, comme dans *La Cantatrice chauve* (qui débute aussi par un double syllogisme, qui conduit Monsieur et Madame Smith à deux conclusions contradictoires), ce délire prend les allures de la conversation la plus banale, et la plus naturelle. « C'est vrai, j'ai un chat qui s'appelle Socrate » (l. 36-37), rétorque le Vieux Monsieur; « Vous voyez... » (l. 38), conclut le Logicien. La boucle est bouclée, et ce tranquille constat d'évidence, qui rétablit en apparence la « logique », fait basculer l'échange du côté de la folie.

UNE CONSTRUCTION SUBTILE

Le sens de cet extrait est étroitement lié à la construction dramatique, c'est-à-dire au système des relations qui se tissent entre les deux conversations simultanées et entrecroisées. A la collision physique entre Jean, le Logicien et le Vieux Monsieur, qui lançait la scène, répond ici le télescopage des mots et des idées.

Un quatuor vocal

Comme un compositeur d'opéra, Ionesco réussit à faire entendre plusieurs voix à la fois. Entre les deux conversations parallèles s'installe un jeu complexe d'échos. Des passerelles assurent le va-et-vient d'un dialogue à l'autre: « le contraire est aussi vrai », l. 16 (le Logicien); « Vous vous contredisez », l. 18 (Jean); « vous n'avez aucune logique », l. 20 (Jean), « C'est très beau, la logique », l. 21 (le Vieux monsieur). Au-delà du simple jeu verbal, une symétrie se dessine entre les comportements et les idées. Le ton magistral, l'assurance, le dogmatisme sont communs à Jean et au Logicien ; et les vices de raisonnement de Jean dans sa tirade annoncent les paralogismes[1] du Logicien. Enfin, l'un et l'autre s'emparent d'une phrase célèbre pour la déformer et la vider de son sens ou de sa substance. Le Logicien dérègle l'exemple classique du syllogisme, pendant que Jean appauvrit et banalise la formule du « cogito » cartésien.

Le discours moral et le discours logique retentissent donc l'un sur l'autre, et l'absurdité manifeste des raisonnements du Logicien vient disqualifier, par ricochet, les propos apparemment plus modérés ou plus raisonnables de Jean. La logique vide de l'un dénonce la morale purement formelle de l'autre et les deux « professeurs », aussi peu crédibles que celui de *La Leçon*, sont finalement renvoyés dos à dos.

CONCLUSION

Cet extrait offre un exemple caractéristique de la façon dont *Rhinocéros* associe les deux « manières » de Ionesco. La logique déréglée de l'absurde, le délire de la conversation, les jeux jubilatoires du non-sens rappellent le ton des premières pièces. Mais ces jeux ici ne sont jamais gratuits : ils sont en relation étroite avec la thématique et la situation dramatique. Ils dénoncent le formalisme et le dogmatisme d'un raisonnement coupé du réel, d'une pensée figée et stéréotypée, qui refuse de voir l'évidence. Au début de la crise qui menace la cité, cette séquence apparemment ludique annonce la tragédie à venir.

1. *Paralogisme:* erreur involontaire de raisonnement, par opposition au sophisme.

Texte 2 [Les dangers du dogmatisme]

(*Rhinocéros*, acte II, premier tableau, pages 94 à 96)

BOTARD

Je ne crois pas les journalistes. Les journalistes sont tous des menteurs, je sais à quoi m'en tenir, je ne crois que ce que je vois, de mes propres yeux. En tant qu'ancien instituteur, j'aime la chose précise, scientifiquement prouvée, je suis un
5 esprit méthodique, exact.

DUDARD

Que vient faire ici l'esprit méthodique ?

DAISY, *à Botard.*

Je trouve, monsieur Botard, que la nouvelle est très précise.

BOTARD

Vous appelez cela de la précision ? Voyons. De quel pachyderme s'agit-il ? Qu'est-ce que le rédacteur de la
10 rubrique des chats écrasés entend-il par un pachyderme ? Il ne nous le dit pas. Et qu'entend-il par chat ?

DUDARD

Tout le monde sait ce qu'est un chat.

BOTARD

Est-ce d'un chat, ou est-ce d'une chatte qu'il s'agit ? Et de quelle couleur ? De quelle race ? Je ne suis pas raciste, je
15 suis même antiraciste.

MONSIEUR PAPILLON

Voyons, monsieur Botard, il ne s'agit pas de cela, que vient faire ici le racisme ?

BOTARD

Monsieur le Chef, je vous demande bien pardon. Vous ne pouvez nier que le racisme est une des grandes erreurs du siècle.

DUDARD

20 Bien sûr, nous sommes tous d'accord, mais il ne s'agit pas là de…

BOTARD

Monsieur Dudard, on ne traite pas cela à la légère. Les événements historiques nous ont bien prouvé que le racisme…

DUDARD

25 Je vous dis qu'il ne s'agit pas de cela.

BOTARD

On ne le dirait pas.

MONSIEUR PAPILLON

Le racisme n'est pas en question.

BOTARD

On ne doit perdre aucune occasion de le dénoncer.

DAISY

Puisqu'on vous dit que personne n'est raciste. Vous
30 déplacez la question, il s'agit tout simplement d'un chat écrasé par un pachyderme : un rhinocéros en l'occurrence.

BOTARD

Je ne suis pas du Midi, moi. Les Méridionaux ont trop d'imagination. C'était peut-être tout simplement une puce écrasée par une souris. On en fait une montagne.

INTRODUCTION

L'espace du premier tableau de l'acte II contraste radicalement avec celui de l'acte I : on passe d'un lieu ouvert à un huis clos, et d'un univers « horizontal » (la place de la petite ville, où toutes les catégories sociales communiquent sur un pied d'égalité) à un univers « vertical », en tous les sens du terme. Spatialement, le bureau est situé en hauteur (au premier étage d'une maison), ce qui rendra d'autant plus précaire la situation des personnages, coupés du monde au moment de l'effondrement de l'escalier ; socialement, les rapports entre les « collègues de bureau » sont strictement hiérarchisés : chacun d'entre eux est défini par l'emplacement et la taille des meubles qui lui sont attribués, et par le style du costume qu'il porte, qui correspondent à l'importance de sa fonction.

Le tableau s'ouvre *in medias res* : il nous introduit au beau milieu d'une discussion animée (« Des histoires, des histoires à dormir debout », p. 93), qui porte sur les événements de la veille, rapportés à la fois par Daisy, témoin oculaire, et par la presse. C'est donc un nouveau débat « philosophique » qui s'ouvre, et divise les employés du bureau : la question de l'existence du ou des rhinocéros pose celle de la valeur du témoignage et de l'information. Mais ce débat est faussé par l'esprit de système du personnage dogmatique et intransigeant qui occupe le centre de cette scène : Botard.

Le texte se découpe en deux moments antithétiques, articulés autour de cette affirmation de Botard : « Je ne suis pas raciste, je suis même antiraciste » (l.14-15). Cette déclaration péremptoire fait déraper un débat apparemment ordinaire sur le journalisme et le vide de son contenu, et le fait basculer du côté de l'absurde : une fois encore, Ionesco pose la question du décalage entre le discours et le réel.

Des personnages conventionnels

La longue didascalie qui ouvre l'acte se divise en deux parties : elle présente d'abord de façon classique l'espace du premier tableau, le bureau de la maison d'éditions juridiques, décrit avec un réalisme minutieux (Ionesco avait lui-même travaillé dans un bureau de ce type, au début des années 50) ; mais sa seconde partie dépasse largement la fonction traditionnelle de la didascalie, qui consiste à donner des indications d'espace et de jeu : comme dans un roman, elle présente les personnages, les décrit et définit leurs caractéristiques physiques et psychologiques.

Mais ces caractéristiques relèvent de la convention : les costumes sont des uniformes, du plus modeste au plus reluisant (de la « blouse grise » au « complet bleu marine »), qui renvoient à la bureaucratie et à la hiérarchie ; les noms eux-mêmes sont stéréotypés, par le jeu de la rime (Dudard/Botard), ou de l'antiphrase (« Monsieur Papillon » désigne l'austère Chef de service).

Ce jeu culmine avec l'indication finale, celle du « tableau vivant », qui présente les personnages « immobiles, dans la position où sera dite la première réplique » (p. 92). Debout au lever du rideau, les protagonistes figés donnent le sens de la scène à venir : « *Dudard, la main tendue en direction de Botard, a l'air de lui dire :* « Vous voyez bien pourtant ! » *Botard, les mains dans les poches de sa blouse, un sourire incrédule sur les lèvres, l'air de dire :* « On ne me la fait pas. » *Daisy, les feuilles dactylographiées à la main, a l'air d'appuyer du regard Dudard.* » (p. 93).

Cette indication renvoie à une convention du « vieux théâtre », ou du cinéma muet : les personnages, figés dans un « arrêt sur image », ressemblent à des caricatures. Elle donne le ton de la séquence, qui joue systématiquement sur les stéréotypes : des situations réglées par le monde du travail, des personnages déterminés par leur fonction sociale, et un langage fait de « clichés » ; elle annonce aussi les relations entre les protagonistes de la scène, le jeu des antagonismes ou des complicités.

Dans cet univers strictement codifié, deux places restent vides. L'absence de Bérenger, en fonction de ce que nous savons de son mode de vie, peut s'expliquer (il a sans doute trop bu la veille, et il est de toute façon incapable d'arriver à l'heure) ; l'autre absence, celle d'un personnage que nous ne verrons jamais, Monsieur Bœuf, prendra un sens de plus en plus inquiétant : présentée d'abord comme le signe anodin de la maladie, elle deviendra celui de l'épidémie, c'est-à-dire de la rhinocérisation de l'homme.

La structure du quatuor

Ce tableau introduit donc de nouveaux personnages : les deux collègues de bureau de Bérenger et Daisy, Dudard et Botard, et leur Chef de service, Monsieur Papillon. Dudard a été rapidement mentionné par Bérenger à l'acte I, comme un éventuel rival amoureux : « Dudard. Un collègue du bureau : licencié en droit, juriste, grand avenir dans la maison, de l'avenir dans le cœur de Daisy ; je ne peux pas rivaliser avec lui » (p. 47-48).

On retrouve donc ici la structure du quatuor : comme à l'acte I, la parole circule entre quatre personnages. Mais au parallélisme des deux conversations de l'acte I, celle de Jean et Bérenger d'une part, celle du Logicien et du Vieux Monsieur d'autre part (p. 44-60), se substitue ici un antagonisme : Botard affronte à la fois Daisy, Dudard et Monsieur Papillon. Il est le seul à mettre en doute la réalité de l'intrusion du rhinocéros, malgré le témoignage de Daisy et l'article du journal cité par Dudard. Seul contre tous, il n'incarne pas pour autant l'individualisme : il est au contraire isolé par son didactisme et son esprit de système.

L'ESPRIT DE SYSTÈME

Les contradictions de Botard

Botard est le personnage central de la scène, et du tableau tout entier, comme le montre la répartition de la parole dans cet extrait. Il apparaît d'emblée contradictoire: à la fois péremptoire et complexé (par rapport au diplômé Dudard, peut-être par rapport à Daisy), revendicatif et obséquieux (« Monsieur le Chef, je vous demande bien pardon », l. 18), il refuse l'autorité tout en maniant le discours d'autorité, et affiche le scepticisme en pratiquant le dogmatisme.

Il entame la discussion par une série d'affirmations à la première personne qui le présentent et définissent ses positions philosophiques. « En tant qu'ancien instituteur, j'aime la chose précise, scientifiquement prouvée, je suis un esprit méthodique, exact » (l. 4-5): le rappel de son ancienne profession évoque le Professeur de *La Leçon*, et annonce le caractère démonstratif de ses propos (le mot « prouvé » revient à la ligne 23).

Philosophiquement, Botard se rattache à la tradition du rationalisme et de l'empirisme (théorie de la connaissance selon laquelle le savoir procède de l'expérience). « Je ne crois que ce que je vois, de mes propres yeux » (l. 2-3) se réfère d'abord au scepticisme de Thomas, l'apôtre qui aurait refusé de croire à la résurrection du Christ tant qu'il n'aurait pas vu et touché ses plaies (« Si je ne vois pas dans ses mains la marque des clous, si je ne mets pas mon doigt dans la marque des clous, et si je ne mets pas ma main dans son côté, je ne croirai pas », Évangile selon Saint Jean, XX, 25).

Cette allusion à celui que la légende a retenu comme le « patron des incrédules » pourrait sembler paradoxale de la part de l'ennemi déclaré des curés (« Je n'écoute pas les curés qui vous font venir à l'église pour vous empêcher de faire votre boulot », p. 98); elle s'associe à une référence plus attendue au positivisme illustré par Auguste Comte: la confiance dans les pouvoirs de la science, et surtout la méfiance à l'égard de la métaphysique, de la religion, et plus largement de tout ce qui dépasse le domaine de l'expérience: imagination, fantasmes, mystifications ou superstitions, dont relèverait selon Botard la rumeur rhinocérique.

Mais ces principes méthodologiques sont aussitôt démentis par les propos de Botard. Il procède d'emblée par généralisations abusives: « Les journalistes sont tous des menteurs » (l. 1-2), « Les

Méridionaux ont trop d'imagination » (l. 32-33), qui trahissent le préjugé et l'esprit de système.

Surtout, au nom de la précision scientifique, il fausse les termes du débat. Il part d'une question qui pourrait avoir un sens (« De quel pachyderme s'agit-il ? », l. 8-9), puisqu'elle porte sur un terme générique (« pachyderme » peut désigner un rhinocéros, mais aussi un hippopotame ou un éléphant); mais il glisse aussitôt, emporté par la dynamique de son discours et sa suspicion envers les journalistes, vers une question absurde: « Et qu'entend-il par chat? » (l. 11). La question est doublement absurde: d'abord parce que « tout le monde sait ce qu'est un chat » (l. 12), comme le relève Dudard, qui incarne ici le bon sens, et sait « appeler un chat un chat », selon l'expression consacrée; ensuite et surtout parce que l'objet du débat n'est pas le chat, mais le rhinocéros.

Comme le Logicien à l'acte I, Botard masque la réalité du danger qui menace la ville pour s'égarer dans une controverse tout à fait absurde. « Est-ce d'un chat, ou est-ce d'une chatte qu'il s'agit? Et de quelle couleur? De quelle race? » (l. 13-14). Ces questions font écho à la discussion de l'acte précédent sur le nombre de cornes et l'origine des rhinocéros: de la couleur de la peau, on passe mécaniquement à la question de la race; et le mot « race » entraîne automatiquement cette profession de foi: « Je ne suis pas raciste, je suis même antiraciste. »

L'irruption de l'idéologie

Cette déclaration qu'on dirait aujourd'hui « politiquement correcte » (malgré le mot « même », qui en diminue la portée) introduit l'idéologie dans le débat. Elle marque le tournant de la scène: sourd aux interruptions répétées de ses trois interlocuteurs (« il ne s'agit pas de cela », l. 16 et 25, « que vient faire ici le racisme? », l. 17; « le racisme n'est pas en question », l. 27, « Vous déplacez la question », l. 29-30), Botard poursuit son idée fixe. Son vocabulaire change, comme le rythme de ses phrases, plus amples, plus solennelles, qui invoquent « une des grandes erreurs du siècle » (l. 19), ou « les événements historiques » (l. 23). Il passe finalement à l'attaque contre un adversaire inexistant : « On ne doit perdre aucune occasion de le dénoncer. » (l. 28).

Daisy tente de remettre les choses à leur place, et de revenir aux faits : « Puisqu'on vous dit que personne n'est raciste. » (l. 29) Malgré l'absence de déictique[1], la proposition n'est pas universelle ; elle renvoie à la situation d'énonciation, c'est-à-dire à la petite communauté du bureau (elle signifie : personne ici n'est raciste) : elle montre que Botard se bat contre des moulins à vent. Son intervention nous ramène surtout à la question initiale de Botard (« De quel pachyderme s'agit-il ? », l. 8-9), pour lui donner une réponse différée, et mettre un terme à la dérive du débat : « il s'agit tout simplement d'un chat écrasé par un pachyderme : un rhinocéros en l'occurrence » (l. 30-31).

Mais Botard refuse de retrouver le réel. Il se désolidarise du reste du groupe : « Je ne suis pas du Midi, moi » implique que l'action se situe dans une ville du Sud, comme le suggèrent la didascalie de l'acte I (« Ciel bleu, lumière crue, murs très blancs », p. 14), et l'indication de Jean (« Notre province est surnommée *« La petite Castille »* tellement elle est désertique ! », p. 36). Emporté par son élan, et son désir de dédramatiser l'incident, il ramène systématiquement le grand au petit, jusqu'à l'absurde : « C'était peut-être tout simplement une puce écrasée par une souris » (l. 33-34). L'image du chat entraîne celle de la souris, mais dans cette réduction à l'extrême, la souris représente le rhinocéros, et le chat devient puce.

Une collection de clichés

Botard s'exprime systématiquement par clichés, c'est-à-dire par expressions toutes faites, qui entrent souvent en collision. Ce

1. *Déictique :* Indice marquant dans l'énoncé la présence de l'énonciateur : pronoms personnels et pronoms possessifs des premières et deuxièmes personnes, références spatiales ou temporelles au moment ou au lieu de l'énonciation.

procédé, qui rappelle le télescopage des métaphores dans le théâtre de Labiche (« Tu ne sais pas qu'il y a des tigres qui viennent déposer leurs œufs dans les ménages des colombes », déclare un père de famille à sa fille dans *Les trente-sept sous de M. Montaudoin*), produit d'abord un effet comique. « C'était peut-être tout simplement une puce écrasée par une souris » entraîne mécaniquement : « On en fait toute une montagne » (l. 34). Par association d'idées, deux expressions figurées se télescopent : « se faire une montagne » de quelque chose signifie l'exagérer ; la « montagne qui accouche d'une souris » désigne tout ce qui fait beaucoup de bruit pour rien.

Ionesco fait une nouvelle fois référence à une fable de La Fontaine, « La montagne qui accouche » (livre V, fable 10) :

> Une Montagne en mal d'enfant
> Jetait une clameur si haute,
> Que chacun au bruit accourant
> Crut qu'elle accoucherait, sans faute,
> D'une Cité plus grosse que Paris :
> Elle accoucha d'une Souris
> L'apologue de La Fontaine vise les ridicules des auteurs grandiloquents de son époque et leurs prétentions épiques :
> C'est promettre beaucoup : mais qu'en sort-il souvent ?
> Du vent.

« Du vent » : la morale de cette fable pourrait ici s'appliquer ironiquement à la phraséologie vide de sens de Botard lui-même...

L'allusion à la « rubrique des chats écrasés » (l. 10) relève du même souci de minimiser l'événement : Botard utilise une expression toute faite (« la rubrique des chiens écrasés » désigne au sens figuré les articles anonymes consacrés aux faits divers insignifiants), pour la détourner (« chats » remplace « chiens », pour accorder la formule à la situation) et la prendre au pied de la lettre.

D'autres clichés, moins innocents, rappellent le *Dictionnaire des idées reçues* de Flaubert. Les vérités générales énoncées par Botard (« Les journalistes sont tous des menteurs » (l. 1-2), « les Méridionaux ont trop d'imagination » (l. 32-33) reflètent les idées toutes faites sur les professions ou les régions ; sa phraséologie creuse (le discours idéologico-politique) trahit le caractère péremptoire et mécanique de son raisonnement. Dès lors, le cliché cesse d'être seulement comique : il révèle le durcissement ou la pétrification de la pensée.

CONCLUSION

Le début de l'acte II fait écho à la fin du premier acte : au Logicien succède Botard. Le délire logique laisse place au délire idéologique, nettement plus inquiétant. D'un dogmatisme à l'autre, un palier supplémentaire est franchi : les références à l'Histoire, le lexique de la dénonciation et de la mise en accusation annoncent la dérive paranoïaque d'un Botard « stalinien ».

Nous sommes au cœur de la philosophie politique (ou antipolitique) de Ionesco, qui, après *Tueur sans gages* et avant *Macbett*, dénonce radicalement la collusion du langage et du pouvoir.

Texte 3 [Une fin paroxystique]

(*Rhinocéros*, acte II, second tableau, pages 164 à 166)

JEAN, *dans la salle de bains.*

Je te piétinerai, je te piétinerai.

Grand bruit dans la salle bains, barrissements, bruit d'objets et d'une glace qui tombe et se brise ; puis on voit apparaître Bérenger tout effrayé qui ferme avec peine la porte de la salle
5 *de bains, malgré la poussée contraire que l'on devine.*

BÉRENGER, *poussant la porte.*

Il est rhinocéros, il est rhinocéros ! *(Bérenger a réussi à fermer la porte. Son veston est troué par une corne. Au moment où Bérenger a réussi à fermer la porte, la corne du rhinocéros a traversé celle-ci. Tandis que la porte s'ébranle sous la poussée conti-*
10 *nuelle de l'animal, et que le vacarme dans la salle de bains continue et que l'on entend des barrissements mêlés à des mots à peine distincts, comme : je rage, salaud, etc., Bérenger se précipite vers la porte de droite.)* Jamais je n'aurais cru ça de lui ! *(Il ouvre la porte donnant sur l'escalier, et va frapper à la porte sur*
15 *le palier, à coups de poings répétés.)* Vous avez un rhinocéros dans l'immeuble ! Appelez la police !

LE PETIT VIEUX, *sortant sa tête.*

Qu'est-ce que vous avez ?

BÉRENGER

Appelez la police ! Vous avez un rhinocéros dans la maison !...

VOIX DE LA FEMME DU PETIT VIEUX

20 Qu'est-ce qu'il y a, Jean ? Pourquoi fais-tu du bruit ?

LE PETIT VIEUX, *à sa femme.*

Je ne sais pas ce qu'il raconte. Il a vu un rhinocéros.

BÉRENGER

Oui, dans la maison. Appelez la police !

LE PETIT VIEUX

Qu'est-ce que vous avez à déranger les gens comme cela ? En voilà des manières !

25 *Il lui ferme la porte au nez.*

BÉRENGER, *se précipitant dans l'escalier.*

Concierge, concierge, vous avez un rhinocéros dans la maison, appelez la police ! Concierge ! *(On voit s'ouvrir le haut de la porte de la loge de la concierge ; apparaît une tête de rhinocéros.)* Encore un ! *(Bérenger remonte à toute allure les* 30 *marches de l'escalier. Il veut entrer dans la chambre de Jean, hésite, puis se dirige de nouveau vers la porte du Petit Vieux. À ce moment la porte du Petit Vieux s'ouvre et apparaissent deux petites têtes de rhinocéros.)* Mon Dieu ! Ciel ! *(Bérenger entre dans la chambre de Jean tandis que la porte de la salle de bains* 35 *continue d'être secouée. Bérenger se dirige vers la fenêtre, qui est indiquée par un simple encadrement, sur le devant de la scène, face au public. Il est à bout de force, manque de défaillir, bredouille :)* Ah mon Dieu ! Ah mon Dieu ! *(Il fait un grand effort, se met à enjamber la fenêtre, passe presque de l'autre côté,* 40 *c'est-à-dire vers la salle, et remonte vivement, car au même instant on voit apparaître, de la fosse d'orchestre, la parcourant à toute vitesse, une grande quantité de cornes de rhinocéros à la file. Bérenger remonte le plus vite qu'il peut et regarde un instant par la fenêtre.)* Il y en a tout un troupeau maintenant 45 dans la rue ! Une armée de rhinocéros, ils dévalent l'avenue en pente !... *(Il regarde de tous les côtés.)* Par où sortir, par où sortir !... Si encore ils se contentaient du milieu de la rue !

Ils débordent sur le trottoir, par où sortir, par où partir! (*Affolé, il se dirige vers toutes les portes, et vers la fenêtre, tour à*
50 *tour, tandis que la porte de la salle de bains continue de s'ébranler et que l'on entend Jean barrir et proférer des injures incompréhensibles. Le jeu continue quelques instants: chaque fois que dans ses tentatives désordonnées de fuite, Bérenger se trouve devant la porte des Vieux, ou sur les marches de l'escalier, il est*
55 *accueilli par des têtes de rhinocéros qui barrissent et le font reculer. Il va une dernière fois vers la fenêtre, regarde.)* Tout un troupeau de rhinocéros! Et on disait que c'est un animal solitaire! C'est faux, il faut réviser cette conception! Ils ont démoli tous les bancs de l'avenue. *(Il se tord les mains.)*
60 Comment faire? *(Il se dirige de nouveau vers les différentes sorties, mais la vue des rhinocéros l'en empêche. Lorsqu'il se trouve de nouveau devant la porte de la salle de bains, celle-ci menace de céder. Bérenger se jette contre le mur du fond qui cède; on voit la rue dans le fond, il s'enfuit en criant.)* Rhinocéros! Rhinocéros! *(Bruits, la porte de la salle de bains va céder.)*

RIDEAU

INTRODUCTION

Le second tableau de l'acte II est construit sur un crescendo dont les paliers sont les étapes du changement à vue de Jean. La progression continue de la tension et de l'angoisse engendrées par cette métamorphose culminent en un paroxysme explosif et spectaculaire.

Cet extrait montre l'importance de la « théâtralité » chez Ionesco, c'est-à-dire la part capitale du langage non verbal: langage de l'espace, du mouvement, des corps et des objets. Cette importance se traduit par la place et la fonction des didascalies: l'enjeu du texte tient avant tout au rapport de forces entre dialogue et didascalies, aux modifications de leur équilibre, qui prennent ici une dimension symbolique.

DES DIDASCALIES PRÉDOMINANTES

Toutes les fonctions des didascalies sont exploitées dans ce passage. Elles servent bien, comme dans le théâtre traditionnel, à décrire l'espace et à fournir des indications de jeu, physiques et psychologiques. Mais elles ne se réduisent pas à des informations techniques ou pratiques à l'usage du metteur en scène ou des acteurs. Elles deviennent un élément moteur de la dramaturgie.

Un espace piégé

L'espace joue un rôle essentiel dans la dynamique de ce tableau. Sa structure repose sur le principe du clivage : clivage entre les lieux figurés sur le plateau (chambre/escalier), mais aussi entre la scène et le hors-scène (chambre/salle de bains, chambre/rue), et enfin entre la scène et la salle. Ces clivages fonctionnent comme un système d'oppositions et de tensions qui atteignent leur point culminant dans cette séquence.

Au début de l'extrait, l'espace du plateau reste vide pendant que Jean et Bérenger sont enfermés dans la salle de bains. Le spectateur ne peut qu'imaginer ce qui se passe hors de sa vue, la lutte suggérée par les bruits d'objets brisés. L'espace invisible de la salle de bains continue à vivre jusqu'à la fin du tableau, par les sons (barrissements, insultes et borborygmes de Jean), et par les objets (la pression exercée sur la porte, trouée par une corne de rhinocéros).

Toute la scène joue sur les limites du plateau, les portes et la fenêtre. Quatre portes constituent l'essentiel du dispositif, et matérialisent la solitude et l'impuissance de Bérenger : celle de la salle de bains, de plus en plus menacée, celle de la chambre, celle de l'appartement des petits vieux, qui se referme au nez de Bérenger, celle de la loge de la concierge. Ces deux dernières s'ouvrent finalement, pour faire apparaître des têtes de rhinocéros. Bérenger est pris au piège.

Il ne lui reste qu'une issue: le cadre de la fenêtre qui donne sur la fosse d'orchestre, donc sur la salle. Ce jeu sur l'architecture du théâtre introduit une nouvelle dimension dans la scène: la « mise en abyme » (ou théâtre dans le théâtre). Ionesco transgresse ici la frontière entre scène et salle, donc le fameux « quatrième mur » du théâtre naturaliste (le mur invisible censé fermer la scène, qui permet aux acteurs de jouer les uns avec les autres comme dans une pièce close, c'est-à-dire comme si le public n'existait pas).

Cette transgression est fréquente dans le théâtre contemporain; mais le procédé fonctionne ici de manière originale. Il ne sert pas, comme c'est souvent le cas, à démystifier l'illusion théâtrale; il contribue au contraire à intégrer le public dans la fiction. Lorsque des cornes de rhinocéros défilent dans la fosse, et que Bérenger regarde la salle à travers le cadre de la fenêtre en s'écriant: « Tout un troupeau de rhinocéros ! » (l. 56-57), ce sont les spectateurs eux-mêmes qui sont rhinocérisés. Le « quatrième mur » n'est pas aboli, mais plutôt reculé au fond de la salle: scène et salle sont englobées dans un même espace de fiction.

La prolifération des objets

Les objets déterminent la dynamique de la scène, lui donnent son rythme, par leur accumulation et leur prolifération. On retrouve ici une caractéristique des premières pièces de Ionesco, et notamment des *Chaises*. Comme les chaises, les cornes de rhinocéros envahissent l'espace, pour le rendre étouffant, irrespirable. Mais alors que les chaises transformaient le plateau en un labyrinthe qui rendait la circulation et la communication entre le Vieux et la Vieille de plus en plus difficiles, les cornes l'encerclent, et l'isolent: elles réduisent concrètement et symboliquement l'espace vital de Bérenger.

L'objet fonctionne ici à la fois comme objet réel et comme objet « rhétorique ». L'objet perçant, perforant qui traverse les portes, et transperce même le veston, dernier et fragile rempart protégeant le corps de Bérenger, donne la sensation concrète du danger.

Mais il est aussi utilisé sur le modèle d'une figure de rhétorique classique, la métonymie[1].

Ionesco privilégie ici l'usage métonymique de l'objet (la partie dit le tout, la corne vaut pour l'animal), pour des raisons évidemment pratiques ou techniques (l'impossibilité de représenter des rhinocéros sur une scène), mais aussi dramaturgiques. Il s'agit moins de montrer que de suggérer : les monstres sont d'autant plus angoissants qu'ils sont entrevus, ils appartiennent donc au domaine de l'imaginaire ou du fantasme. La multiplication accélérée des cornes de ces animaux invisibles crée un climat onirique. Elle donne la sensation d'un cauchemar ou d'une hallucination, vécus par Bérenger et partagés par les spectateurs tour à tour terrifiés par l'invasion des rhinocéros et métamorphosés eux-mêmes en rhinocéros par le regard de Bérenger.

Un jeu physique exacerbé

Les didascalies donnent aussi des indications de jeu, qui concernent essentiellement Bérenger, et portent d'abord sur le jeu physique, gestes (« *poussant la porte* » ; « *fermer la porte* », l. 8 ; « *ouvre la porte* », l. 14 ; « *frapper [...] à coups de poing répétés* », l. 14-15) et déplacements (« *se précipite* », l. 12 ; « *remonte* », l. 28 ; « *enjamber* », l. 39). Elles mettent l'accent sur l'intensité et la violence, sur l'effort (« *avec peine* », l. 4 ; « *à bout de force* », l. 37), sur la vitesse (« *à toute allure* », l. 29 ; « *le plus vite qu'il peut* », l. 43), et sur la panique (« *ses tentatives désordonnées de fuite* », l. 53 ; « *Il se tord les mains* », l. 59). Les notations psychologiques, plus rares et surtout plus conventionnelles (« tout effrayé », l. 4 ; « affolé », l. 49), vont dans le même sens. Il s'agit de mettre en évidence l'infériorité et la fragilité de l'homme face au monde des objets-animaux, et au déchaînement des « forces de la nature ».

1. *Métonymie :* cette figure repose sur un rapport de contiguïté ou d'inclusion entre sens propre et sens figuré (désigner par exemple le contenant par le contenu — « boire un verre » —, la partie pour le tout — la « voile » pour le bateau).

L'indication « Le jeu continue quelques instants » (l. 52) confirme que l'action muette, le mime, la lutte inégale du corps avec l'espace et les objets l'emportent ici sur la parole. Et c'est symboliquement un objet qui a « le dernier mot ». Le rideau tombe au moment du paroxysme, au moment où « la porte de la salle de bains va céder » (l. 65), laissant à nouveau au spectateur le soin d'imaginer la fin.

UN DIALOGUE CONTESTÉ

La place de la parole est inversement proportionnelle à celle des didascalies. Elle est ici de plus en plus réduite, quantitativement et qualitativement : remise en cause par les bruits et les barrissements qui la couvrent, elle se dégrade en onomatopées, borborygmes, bégaiements et bredouillements, rendant de plus en plus difficile la communication.

La rupture de la communication

L'analyse des types de phrases, du lexique, de la syntaxe ou de la ponctuation révèle cette détérioration. La seule phrase déclarative de l'extrait est celle de Jean, « Je te piétinerai, je te piétinerai » (l. 1) ; sa dernière parole, son « testament », prend la forme d'une affirmation et d'une menace, comme si Jean restait jusqu'au bout certain de détenir la vérité. Il ne s'exprimera plus désormais que par un mélange de « mots à peine distincts » (l. 11-12), d'« injures incompréhensibles » (l. 51-52) et de barrissements. Toutes les autres répliques (celles de Bérenger, du Petit Vieux et de la Petite Vieille) sont interrogatives ou exclamatives, traduisant la panique, le désarroi ou l'impuissance.

Le jeu sur les pronoms personnels (« je », « tu », « il », « vous ») met l'accent sur l'échec du dialogue comme instrument de communication. L'abandon du « vous » de politesse (« je te piétinerai ») marque la progression de la violence et de la brutalité chez Jean, qui implique évidemment l'oubli des codes mondains. L'usage de la troisième personne (« il est rhinocéros ! », l. 6) traduit la rupture de la relation entre Bérenger et son ami : Jean a cessé d'être un interlocuteur, il est devenu l'Autre.

Le passage à la deuxième personne du pluriel (« vous avez un rhinocéros dans la maison », l. 18-19) témoigne à la fois de l'impossible désir de rester à distance du phénomène et de la recherche d'un contact auprès des « petits Vieux », les Jean (ce patronyme les désigne comme « les gens », c'est-à-dire les représentants de l'humanité ordinaire). La demande étant aussitôt rejetée au nom de codes sociaux devenus dérisoires par rapport à la situation (« En voilà des manières ! », l. 24), la réponse est donnée par le geste (la porte claquée), et l'objet (les « deux petites têtes de rhinocéros », l. 32-33).

Un langage impuissant

Bérenger en est dès lors réduit au monologue. La parole pourrait constituer son dernier rempart. Il tente de construire un raisonnement, de réfléchir sur le paradoxe du « troupeau » d'animaux « solitaires », en mobilisant un vocabulaire philosophique qui jusque-là n'était pas son fort (« il faut réviser cette conception ! », l. 58). Mais c'est la violence de la situation qui l'emporte. Son langage devient de plus en plus conventionnel (« Mon Dieu ! », l. 33 ; « Ciel ! », l. 33) et répétitif (« Concierge, concierge », l. 26 ; « par où sortir ! », l. 46 ; « par où partir ! », l. 48). Les liens syntaxiques se dissolvent peu à peu, jusqu'au cri final : « Rhinocéros, Rhinocéros ! » (l. 64-65), qui combine répétition et exclamation.

Ce cri fait écho à celui du début (« Il est rhinocéros, il est rhinocéros ! », l. 6), en le réduisant à sa plus simple expression. La suppression du pronom et du verbe, l'absence de déterminant (qui laisse supposer qu'on est passé du singulier au pluriel, donc traduit grammaticalement la prolifération) rendent le sens indécis. Les deux mots peuvent s'entendre comme une apostrophe, un SOS, une dénonciation, ou encore, un exorcisme. Peu importe, puisqu'ils ne servent plus à rien. Bérenger ne trouve son salut que dans l'effondrement du décor, qui lui permet une improbable fuite (par le mur du fond, alors que la chambre est censée se situer au premier étage...), dont l'invraisemblance est masquée par la chute brutale du rideau.

CONCLUSION

La dernière séquence de l'acte II s'inscrit dans une structure qui joue sur la répétition, les correspondances, les reflets : sur le plan de la scénographie, elle fait écho au dénouement du premier tableau de l'acte (l'effondrement de l'escalier de la maison d'éditions, la fuite en catastrophe). Sur le plan de la dramaturgie, elle annonce celui de l'acte III (le monologue final de Bérenger, réduit aux précaires ressources du langage).

Mais elle marque aussi une étape décisive dans la dynamique de l'œuvre. La formule « Vous avez un rhinocéros dans la maison !... » (l. 26-27) montre que la nature du danger a changé. La menace ne vient plus de l'extérieur, mais de l'intérieur, comme vient de le démontrer le changement à vue de Jean. L'expression « dans la maison » prend dès lors une valeur symbolique : elle nous fait comprendre que le mal qui menace la cité n'est pas une force étrangère, mais qu'il s'enracine en chacun de nous.

Texte 4 [Un dénouement ambigu]

(*Rhinocéros*, acte III, pages 243 à 246)

BÉRENGER, *se regardant toujours dans la glace.*

Ce n'est tout de même pas si vilain que ça un homme. Et pourtant, je ne suis pas parmi les plus beaux ! Crois-moi, Daisy ! *(Il se retourne.)* Daisy ! Daisy ! Où es-tu, Daisy ? Tu ne vas pas faire ça ! *(Il se précipite vers la porte.)* Daisy ! *(Arri-*
5 *vé sur le palier, il se penche sur la balustrade.)* Daisy ! remonte ! reviens, ma petite Daisy ! Tu n'as même pas déjeuné ! Daisy, ne me laisse pas tout seul ! Qu'est-ce que tu m'avais promis ! Daisy ! Daisy ! *(Il renonce à l'appeler, fait un geste désespéré et rentre dans sa chambre.)* Évidemment. On ne
10 s'entendait plus. Un ménage désuni. Ce n'était plus viable. Mais elle n'aurait pas dû me quitter sans s'expliquer. *(Il regarde partout.)* Elle ne m'a pas laissé un mot. Ça ne se fait pas. Je suis tout à fait seul maintenant. *(Il va fermer la porte à clé, soigneusement, mais avec colère.)* On ne m'aura pas, moi.
15 *(Il ferme soigneusement les fenêtres.)* Vous ne m'aurez pas, moi. *(Il s'adresse à toutes les têtes de rhinocéros.)* Je ne vous suivrai pas, je ne vous comprends pas ! Je reste ce que je suis. Je suis un être humain. Un être humain. *(Il va s'asseoir dans le fauteuil.)* La situation est absolument intenable. C'est ma
20 faute, si elle est partie. J'étais tout pour elle. Qu'est-ce qu'elle va devenir ? Encore quelqu'un sur la conscience. J'imagine le pire, le pire est possible. Pauvre enfant abandonnée dans cet univers de monstres ! Personne ne peut m'aider à la retrouver, personne car il n'y a plus personne.
25 *(Nouveaux barrissements, courses éperdues, nuages de poussière.)* Je ne veux pas les entendre. Je vais mettre du coton dans les oreilles. (Il se met du coton dans les oreilles et se parle à lui-même dans la glace.) Il n'y a pas d'autre solution que de les convaincre, les convaincre, de quoi ? Et les mutations

30 sont-elles réversibles ? Hein, sont-elles réversibles ? Ce serait un travail d'Hercule, au-dessus de mes forces. D'abord, pour les convaincre, il faut leur parler. Pour leur parler, il faut que j'apprenne leur langue. Ou qu'ils apprennent la mienne ? Mais quelle langue est-ce que je parle ? 35 Quelle est ma langue ? Est-ce du français, ça ? Ce doit bien être du français ? Mais qu'est-ce que du français ? On peut appeler ça du français, si on veut, personne ne peut le contester, je suis seul à le parler. Qu'est-ce que je dis ? Est-ce que je me comprends, est-ce que je me comprends ? *(Il* 40 *va vers le milieu de la chambre.)* Et si, comme me l'avait dit Daisy, si c'est eux qui ont raison ? *(Il retourne vers la glace.)* Un homme n'est pas laid, un homme n'est pas laid ! *(Il se regarde en passant la main sur sa figure.)* Quelle drôle de chose ! À quoi je ressemble, alors ? À quoi ? *(Il se précipite* 45 *vers un placard, en sort des photos, qu'il regarde.)* Des photos ! Qui sont-ils tous ces gens-là ? M. Papillon, ou Daisy plutôt ? Et celui-là, est-ce Botard ou Dudard, ou Jean ? ou moi, peut-être ! *(Il se précipite de nouveau vers le placard d'où il sort deux ou trois tableaux.)* Oui, je me reconnais ; c'est moi, c'est 50 moi ! *(Il va raccrocher les tableaux sur le mur du fond, à côté des têtes des rhinocéros.)* C'est moi, c'est moi. *(Lorsqu'il accroche les tableaux, on s'aperçoit que ceux-ci représentent un vieillard, une grosse femme, un autre homme. La laideur de ces portraits contraste avec les têtes des rhinocéros qui sont devenues très* 55 *belles. Bérenger s'écarte pour contempler les tableaux.)* Je ne suis pas beau, je ne suis pas beau. *(Il décroche les tableaux, les jette par terre avec fureur, il va vers la glace.)* Ce sont eux qui sont beaux. J'ai eu tort ! Oh ! comme je voudrais être comme eux. Je n'ai pas de corne, hélas ! Que c'est laid, un front plat. Il 60 m'en faudrait une ou deux, pour rehausser mes traits tombants. Ça viendra peut-être, et je n'aurai plus honte, je pourrai aller tous les retrouver. Mais ça ne pousse pas ! *(Il regarde les paumes de ses mains.)* Mes mains sont moites.

Deviendront-elles rugueuses ? *(Il enlève son veston, défait sa*
65 *chemise, contemple sa poitrine dans la glace)* J'ai la peau flasque. Ah, ce corps trop blanc, et poilu ! Comme je voudrais avoir une peau dure et cette magnifique couleur d'un vert sombre, une nudité décente, sans poils, comme la leur ! *(Il écoute les barrissements.)* Leurs chants ont du charme, un
70 peu âpre, mais un charme certain ! Si je pouvais faire comme eux. *(Il essaye de les imiter.)* Ahh, ahh, brr ! Non, ça n'est pas ça ! Essayons encore, plus fort ! Ahh, ahh, brr ! non, non, ce n'est pas ça, que c'est faible, comme cela manque de vigueur ! Je n'arrive pas à barrir. Je hurle seulement. Ahh,
75 ahh, brr ! Les hurlements ne sont pas des barrissements ! Comme j'ai mauvaise conscience, j'aurais dû les suivre à temps. Trop tard maintenant ! Hélas, je suis un monstre, je suis un monstre. Hélas, jamais je ne deviendrai rhinocéros, jamais, jamais ! Je ne peux plus changer. Je voudrais bien, je
80 voudrais tellement, mais je ne peux pas. Je ne peux plus me voir. J'ai trop honte ! *(Il tourne le dos à la glace.)* Comme je suis laid ! Malheur à celui qui veut conserver son originalité ! *(Il a un brusque sursaut.)* Eh bien tant pis ! Je me défendrai contre tout le monde ! Ma carabine, ma carabine ! *(Il se*
85 *retourne face au mur du fond où sont fixées les têtes des rhinocéros, tout en criant :)* Contre tout le monde, je me défendrai ! Je suis le dernier homme, je le resterai jusqu'au bout ! Je ne capitule pas !

RIDEAU

INTRODUCTION

La structure de l'acte III, qui reproduit l'espace et les situations du second tableau de l'acte II, suggère un parallélisme entre l'évolution de Bérenger et celle de Jean : Bérenger, couché, tête bandée, semble souffrir du même mal que Jean pendant sa métamorphose. Chacun de ses symptômes, chacune de ses réactions face à Dudard entretient le soupçon, chez Bérenger comme chez le spectateur. Ce doute pèse sur tout le dernier acte, et persiste jusqu'au dénouement.

Les trois personnages de cet acte incarnent les trois derniers spécimens d'humanité, face à toutes les formes de la violence et du fanatisme : l'intellectuel libéral et tolérant, la femme aimante, et l'homme moyen, attachant par ses faiblesses mêmes. La démission de Dudard, puis la fuite de Daisy symbolisent la défaite de l'intelligence et de l'amour. C'est donc, par un apparent paradoxe, à l'« antihéros » qu'il revient de défendre la cause de l'homme.

UNE TRAJECTOIRE EN LIGNE BRISÉE

Le mouvement de ce monologue contraste avec celui de l'ensemble de la pièce. À la progression inéluctable et rectiligne de la rhinocérisation s'oppose le parcours en dents de scie de cette dernière séquence. Cette trajectoire sinueuse, faite de doutes, d'hésitations, de revirements et de contradictions rompt avec le mécanisme tragique, qui conduit inévitablement le héros à sa perte. Ce monologue qui mélange les registres, passant du comique au dramatique et au pathétique, traduit le désarroi du personnage, ses doutes, la confusion de sa pensée et de ses sentiments.

Des moments contradictoires

Le texte est composé d'une série de fragments qui ne s'enchaînent pas, mais plutôt s'interpénètrent, se chevauchent, se contredisent ou se répètent. Il s'articule en trois grands moments : la réaction au départ de Daisy, le doute et la crise, le sursaut final.

Le premier mouvement (« Ce n'est tout de même pas [...] est-ce que je me comprends ? », l. 1-39) est dominé par le départ de Daisy, qui suscite chez Bérenger des réactions complexes : l'altruisme (« Tu n'as même pas déjeuné ! », l. 6), la pitié (« Pauvre enfant abandonnée dans cet univers de monstres », l. 22-23), l'égoïsme (« ne me laisse pas tout seul ! », l. 7), et la culpabilité (« C'est ma faute, si elle est partie », l. 19-20 ; « Encore quelqu'un sur la conscience », l. 21). Un bref sursaut de révolte (« On ne m'aura pas, moi » [l. 14], qui se précise en « Vous ne m'aurez pas, moi » (l. 15-16), déclaration de guerre directement adressée aux têtes de rhinocéros) s'inverse presque aussitôt en désir de compréhension : « Il n'y a pas d'autre solution que de les convaincre » (l. 28).

Le deuxième mouvement (« Et si, comme me l'avait dit Daisy [...] son originalité ! », l. 40-82) présente une progression plus régulière, du doute à la crise. Par paliers successifs, on passe de l'interrogation (« Et si, comme me l'avait dit Daisy, si c'est eux qui ont raison ? », l. 40-41) à l'affirmation (« Ce sont eux qui sont beaux », l. 57) puis à l'exclamation (« Malheur à qui veut conserver son originalité ! », l. 81-82). À l'hypothèse de la supériorité des rhinocéros succède la certitude de l'infériorité de l'homme, et le mépris ou la haine de soi, qui s'exprime sous la forme de la malédiction.

Le dernier mouvement (« Eh bien tant pis ! [...] Je ne capitule pas ! », l. 83-88) paraît donc rompre radicalement avec le précédent, mais aussi avec l'ensemble du monologue, dont il inverse brutalement le sens. Sa brièveté (quatre lignes) contraste avec son enjeu (la révolte finale). Ce déséquilibre conduit à s'interroger sur la portée et la signification d'une décision qui apparaît moins comme l'aboutissement d'une délibération que comme le produit du hasard, moins comme une conclusion nécessaire que comme un accident.

Un langage incohérent

Le désordre et la confusion du monologue tiennent aussi au tempérament de Bérenger, et à sa relation avec la parole. Ses réticences envers le langage se manifestent tout au long de la pièce. Il se méfie des discours, et renonce vite à discuter avec les « intellectuels », à réfuter les arguments de Jean, de Botard ou de Dudard. Chez lui, l'émotion l'emporte toujours sur le raisonnement, comme le montre sa confrontation avec Dudard à l'acte III. Pour commenter la rhinocérisation générale, Dudard prend ses distances par rapport à l'événement, nuance sa pensée, et prétend à l'objectivité. Bérenger, lui, se laisse déborder par l'affectivité, submerger par la subjectivité, ce qui l'emêche de contrôler ses propos.

L'émotion atteint son point culminant: Bérenger, abandonné de tous, seul face à l'ennemi invisible et omniprésent, et ne dialoguant plus qu'avec lui-même, a cessé de maîtriser les mots. Phrases courtes, phrases nominales, phrases interrogatives et exclamatives (« Des photos! », l. 45; « Trop tard maintenant! », l. 76-77; « Ma carabine, ma carabine! », l. 84), onomatopées, cris (« Ahh, ahh, brr! », l. 71-72), tentent en vain de rivaliser avec les barrissements. Son langage se disloque, jusqu'à douter d'être encore un langage, puisque plus personne ne le comprend ni ne le parle.

L'HUMAIN ET L'INHUMAIN

En jouant sur l'ambiguïté, l'inversion et l'interversion des rôles, le monologue pose la question philosophique essentielle de la pièce: celle de l'identité et de l'altérité, de la normalité et de la monstruosité.

Les étapes d'une dépersonnalisation

Plus que jamais, Bérenger doute ici de son identité: il ne se définit plus que comme « un être humain » (l. 18), « un homme » (l. 42). Il n'a plus ni caractère ni opinions propres: il adopte tour à tour les positions et le langage même des autres personnages de la pièce, comme s'il s'identifiait à eux. Il s'exprime tantôt comme Botard (« On ne m'aura pas, moi », l. 14), tantôt comme Dudard (« pour les convaincre, il faut leur parler », l. 31-32), tantôt comme Jean pendant sa métamorphose (« Comme je voudrais avoir une peau dure et cette magnifique couleur d'un vert sombre », l. 66-67), enfin comme Daisy au moment de sa « conversion » (« Leurs chants ont du charme », l. 69). Après avoir imité tous les personnages, il en vient à tenter, en vain, de mimer les rhinocéros, pour conclure: « je suis un monstre » (l. 77). Il confirme ainsi l'hypothèse de Daisy: « C'est nous, peut-être, les anormaux » (p.237). Dès lors que la monstruosité est devenue la norme, de quel côté se trouve le « monstre »?

Le rôle des images

La scénographie joue à nouveau un rôle essentiel dans la thématique et dans la dynamique de la scène. Ici, les objets signifient à la fois par leur nature et par leur métamorphose. Un miroir, des photos, des tableaux: tous ces objets sont liés à l'image ou au reflet, tous se réfèrent au visage humain, donc renvoient à la question de l'identité. Bérenger reconnaît de moins en moins son image dans le miroir: « Quelle drôle de chose! À quoi je ressemble alors? À quoi? » (l. 43-44). Les photos n'apportent aucune réponse à la question. Censées rappeler les protagonistes de la pièce, donc la diversité des visages humains, elles semblent identiques, et comme anonymes: « Qui sont-ils tous ces gens-là? M. Papillon, ou Daisy plutôt? » (l. 45-46). Hommes et femmes ont cessé de se distinguer. « Et celui-là, est-ce Botard ou Dudard, ou Jean? ou moi, peut-être! » (l. 46-47): tous les visages se ressemblent, comme naguère les têtes de rhinocéros aux yeux des humains. Tout se passe comme si Bérenger regardait désormais les hommes du point de vue des rhinocéros.

Une seconde métamorphose amplifie ce renversement de situation. La laideur des portraits accrochés au mur contraste avec les têtes de rhinocéros « *qui sont devenues très belles.* » (l. 54). À cette hallucination visuelle de Bérenger s'ajoute l'hallucination auditive : pendant que les têtes embellissent à vue d'œil, les barrissements se transforment en chants de plus en plus mélodieux. Au terme de la pièce, le sens de la métamorphose semble donc s'inverser. Bérenger, désormais monstre parce qu'homme, est sur le point de succomber aux charmes de ce monde qui le fascine, mais qu'il ne parvient pas à rejoindre.

UNE FIN OUVERTE

Rien ne serait donc plus faux que de voir en Bérenger un « résistant », et d'interpréter cette fin comme la victoire de l'homme sur le monstre. Le champ lexical de l'héroïsme, qui n'apparaît que dans les dernières lignes (« je me défendrai jusqu'au bout », l. 86-87 ; « Je ne capitule pas », l. 87-88), est en complet décalage avec la situation et avec le personnage. Le geste final est évidemment dérisoire, et Bérenger reste jusqu'au bout un « antihéros ». On ne peut donc pas davantage voir dans ce dénouement, comme l'a fait une part de la critique, une profession de foi humaniste, et encore moins une conversion de Ionesco à l'« engagement » et au théâtre politique.

Un héros malgré lui

Antihéros, ou héros malgré lui, Bérenger reste fidèle à lui-même jusqu'au dénouement. L'homme moyen ne se métamorphose pas en surhomme, ou en cet « homme supérieur » dont Jean faisait l'éloge au début de la pièce. Il reste jusqu'au bout rongé par la culpabilité, par la mauvaise conscience et par le doute.

Sa décision ne relève ni d'une logique rationnelle, ni de la force de la volonté. Elle apparaît plutôt comme une réaction imprévisible, un sursaut velléitaire. Surtout, elle reste marquée par la contradiction entre le désir grandissant de rejoindre les rhinocéros et l'impossibilité d'y réussir. Elle est donc placée sous le signe de l'impuissance, qui apparaissait plus nettement à la fin de la nouvelle qui constitue le point de départ de la pièce *Rhinocéros*. La nouvelle se conclut sur ces mots:

> J'avais une conscience de plus en plus mauvaise, malheureuse. Je me sentais un monstre. Hélas, jamais je ne deviendrais rhinocéros: je ne pouvais plus changer.
> Je n'osais plus me regarder. J'avais honte. Et pourtant, je ne pouvais pas, non, je ne pouvais pas[1].

Mais, par un ultime renversement, c'est cette impuissance même qui signe son humanité. C'est sa faiblesse qui fait sa force: la force de l'individu ordinaire, auquel nous nous identifions spontanément.

L'impossible dénouement

Cette fin ambiguë est caractéristique à la fois de la dramaturgie et de la philosophie de Ionesco. Sur le plan dramatique, elle ne constitue pas un véritable « dénouement »: rien n'y est résolu, les contradictions et les tensions n'y sont pas réglées. La pièce se suspend sur un paroxysme, plus qu'elle ne se conclut. Tout se passe comme si le rideau tombait avant la fin: ce refus de finir traduit un rêve souvent exprimé par Ionesco, celui d'un « théâtre permanent ». Il confie à Claude Bonnefoy:

> On lève le rideau sur quelque chose qui a commencé depuis longtemps, on le ferme parce qu'on doit s'en aller, mais derrière le rideau, cela continue indéfiniment. La construction d'une pièce est artificielle, avec un commencement et une fin. En réalité, il faudrait une construction beaucoup plus complexe permettant qu'il n'y ait pas de fin[2].

Cette ambiguïté relève aussi de la philosophie et de la politique de Ionesco. Si Bérenger résiste, c'est sans savoir pourquoi, de sorte que son acte, ou plutôt son geste, n'a rien d'« exemplaire »,

---

1. *La Photo du colonel*, Gallimard, p. 128.
2. *Entretiens avec Eugène Ionesco*, p. 95.

et n'est porteur d'aucun message. L'auteur refuse de trancher, c'est-à-dire de donner son opinion, ou de suggérer sa solution. Il ne prend pas parti, ne donne aucune leçon, et ne défend aucune cause, si ce n'est celle de l'individu, ou de ces individualistes confrontés à la « massification » qu'il appelle dans *Notes et contre-notes* des « âmes uniques ».

Il ne saurait donc y avoir de « dernier mot »: c'est justement ce que Sartre reprochait à la pièce dans une conférence intitulée « Théâtre épique et théâtre dramatique », recueillie dans *Un théâtre de situations*, dans laquelle il oppose le théâtre de Brecht au Théâtre de l'absurde, en utilisant notamment l'exemple de *Rhinocéros*. Il dénonce son ambiguïté politique:

> Qu'est-ce que c'est, devenir rhinocéros ? Est-ce que c'est devenir fasciste ou devenir communiste ? Est-ce que c'est devenir les deux ? Il est évident que si le public bourgeois est si content, c'est que c'est les deux[1].

Il ironise sur l'indétermination de son sens:

> Il est absolument impossible de tirer un mot de la pièce sinon pour nous dire qu'un grand malheur, un grand péril d'abrutissement, menace le monde, que, ma foi, le danger de contagion est très grave et que les femmes sont toutes fascinées par ces gros imbéciles à cornes que sont les rhinocéros. C'est n'importe quel danger, ça pourrait être aussi bien d'ailleurs la suppression par la bombe atomique[2].

Et sa critique se focalise sur le dénouement:

> Et pourquoi y en a-t-il un qui résiste ? Au moins pourrions-nous le savoir, mais nous n'en savons rien du tout. Il résiste parce qu'il est là, il représente Ionesco, alors il dit: « Je résiste » et il reste là au milieu des rhinocéros, seul à défendre l'homme, sans que nous sachions très bien après tout s'il ne vaut pas mieux être rhinocéros ; cela n'a pas été démontré, n'est-ce pas ? Après tout, l'un ou l'autre[3].

1. *Un Théâtre de situations*, p. 140.
2. *Ibid.*
3. *Ibid.*

Le ton de la conférence (prononcée en 1960, donc l'année même de la création de *Rhinocéros* en France) est révélateur de l'esprit polémique de l'époque. L'année suivante, dans un article publié dans la revue *Arts* à la suite des représentations américaines de la pièce, Ionesco répond indirectement à Sartre :

> Un des grands critiques de New York se plaint que, après avoir détruit un conformisme, n'ayant rien mis à la place, je laisse ce critique et ces spectateurs dans le vide. C'est bien ce que j'ai voulu faire. C'est de ce vide qu'un homme libre doit se tirer tout seul, par ses propres forces et non par la force des autres[1].

CONCLUSION

Au-delà d'une « controverse stérile », comme dirait Monsieur Papillon, et d'une polémique datée, le « dernier mot » pourrait revenir à un metteur en scène (qui n'a jamais abordé ni peut-être songé à aborder Ionesco...). Antoine Vitez, en parlant de l'*Électre* de Sophocle qu'il a plusieurs fois montée, caractérisait ainsi le « théâtre des idées » dans un programme de spectacle :

> L'auteur ne dit pas son avis, tout au contraire du « théâtre à thèse » : non, il fait parler les Idées comme des êtres humains, comme si elles avaient un corps.

Ce pourrait être la plus juste et la plus stimulante définition de *Rhinocéros*.

1. *Notes et contre-notes*, p. 288.

Bibliographie

ŒUVRES DE IONESCO

- *Les Chaises*, Gallimard, 1952 ; coll. « Folio », 1996.
- *Tueur sans gages*, Gallimard, 1959 ; coll.« Folio », 1974.
- *Notes et contre-notes*, Gallimard, 1962 ; coll.« Folio Essais », 1991.
- *La Photo du colonel*, Gallimard, 1962. La nouvelle *Rhinocéros*, première version de la pièce, est publiée dans ce recueil.
- *Entretiens* avec Claude Bonnefoy, Belfond, 1966.
- *Journal en miettes*, Mercure de France, 1967 ; Gallimard, coll. « Folio Essais », 1992.
- *Macbett*, Gallimard, 1972 ; coll. « Folio », 1975.
- *Théâtre complet*, Gallimard, coll. « Bibliothèque de la Pléiade », 1990.

ÉTUDES CRITIQUES

- ARTAUD Antonin, *Le Théâtre et son double*, Gallimard, 1964 ; coll. « Folio/Essais », 1985.
- HUBERT Marie-Claude, *Ionesco*, Seuil, « Les Contemporains », 1990.
- SARTRE Jean-Paul, *Un théâtre de situations*, Gallimard, 1973 ; coll. « Folio Essais », 1992.

SUR L'ÉPIDÉMIE TRAITÉE COMME ALLÉGORIE POLITIQUE

On pourra lire *La Peste* d'Albert Camus, Gallimard, 1947.

Index

Guide pour la recherche des idées

Les références renvoient aux pages de ce Profil.

Absurde

Dialogue

Didascalies

Objets

Philosophie

Politique

Registres

Achevé d'imprimer par CPI Bussière à Saint-Amand (Cher), France.
Dépôt légal : 74119-7/11 – décembre 2012. N° d'impression. : 124443/1.